D0514023

LA MAUVAISE RENCONTRE

DU MEME AUTEUR

PSYCHANALYSE DE LA CHANSON, Les Belles Lettres-Archimbaud, 1996 ; Hachette Littératures, 2004.

PAS DE FUMEE SANS FREUD. *Psychanalyse du fumeur*, Armand Colin, 1999 ; Hachette Littératures, 2002.

ÉVITEZ LE DIVAN. *Petit guide à l'usage de ceux qui tiennent à leurs symptômes*, Hachette Littératures. 2001.

LA PETITE ROBE DE PAUL, Grasset, 2001.

CHANTONS SOUS LA PSY, Hachette Littératures, 2002

UN SECRET, Grasset, 2004.

PHILIPPE GRIMBERT

LA MAUVAISE RENCONTRE

roman

BERNARD GRASSET
PARIS

ISBN 978-2-246-75661-3

A mes fantômes

Et quand Octobre souffle, émondeur des vieux arbres,
Son vent mélancolique à l'entour de leurs marbres,
Certes, ils doivent trouver les vivants bien ingrats,
A dormir comme ils font, chaudement dans leurs draps…

Ch. Baudelaire

Il n'y a pas eu de filles dans cette histoire. Juste deux garçons et ça n'a pas été plus simple pour autant. Bien sûr, les années passant, une ou deux beautés y ont fait leur apparition, trois petits tours et puis s'en sont allées. Elles ont pris le bras de l'un, la bouche de l'autre, mais cela est resté une histoire de garçons. Rien n'aurait dû les séparer, croix de bois croix de fer, à la vie à la mort. Il n'y a pas eu de rivalités imbéciles, c'est autre chose qui les a déchirés, quelque chose qui était là depuis le début, mais que personne ne pouvait encore imaginer.

Cette histoire, je suis bien obligé de la faire commencer à un moment, tellement éloigné dans le temps qu'il se réduit désormais à des sensations. Du sable qui coule entre mes doigts, des cris, des allées poussiéreuses, des balançoires et puis nous deux, Mando et moi, qui nous regardons pour la première fois. Lui, farouche, à l'écart, serrant une boîte de métal contre sa poitrine et moi, terrorisé par les cris et l'agitation des autres. Un parc, des promeneurs, des poussettes et des mamans qui s'appellent entre elles par le prénom de leur enfant : madame Jacques, Rémi, Jean-Pierre, madame Mando, madame Loup.

La boîte de métal que tu tenais de si près quand je suis venu m'asseoir à côté de toi, sans doute a-t-elle contenu des granulés ou une préparation à bouillie avant de servir de moule à pâtés de sable. Nos regards se sont croisés et tu me l'as tendue. Je ne l'ai pas oubliée, c'est peut-être même le premier objet dont je me souvienne, ce cadeau que tu m'as fait. Si l'on me demande quel est mon premier souvenir, le plus ancien, je réponds que c'est cette boîte de métal, je dois avoir trois ans, quatre tout au plus. Image restée intacte, comme une de ces photos en noir et blanc, aux bords crénelés, rangées dans un carton à chaussures : on nous y voit, Mando et moi, assis sur le tas de sable, Nine et Enza à proximité qui tricotent en bavardant. Mando et moi, qui n'allons plus nous quitter.

Chaque semaine, durant des années, Nine, ma seconde maman, m'a emmené au parc Monceau où j'avais rendez-vous avec Mando. Notre chemin traversait la place de l'Europe, sous laquelle grondait le ventre des locomotives à vapeur. J'insistais pour que nous restions un moment au cœur de la fumée, coton qui s'effilochait, déchiré de sifflements stridents. Puis nous repartions vers la rue de Rome, sur laquelle le nuage nous ouvrait un passage. Dans la grande allée centrale, assis sur un banc auprès de sa mère, mon ami m'attendait.

Mando et moi nous précipitions l'un vers l'autre, le cœur battant. Très vite nous avions su que nous allions devenir inséparables, mais, au contraire des filles, les petits garçons ne se disent jamais qu'ils s'aiment : ils se donnent des tapes dans le dos, se poursuivent, se bagarrent. C'est ce que nous faisions, dès que Nine et Enza sortaient leurs tricots.

Nous courions à nos occupations. Les chaisières passaient avec leurs carnets de tickets pendant que, suspendus à leurs grappes multicolores, les marchands de ballons faisaient le tour des familles établies en cercle. C'est là que nous avons passé nos premières années, dans les allées poussiéreuses d'un territoire que nous connaissions par cœur, à faire crisser les roulettes de nos patins d'acier, à prendre le ciel d'assaut sur nos balançoires. Nous y mourions aussi, car les petits garçons adorent ce jeu : deux doigts pointés vers l'autre et bang! Le corps qui s'effondrait en vrille, avec la grimace du cow-boy rencontrant enfin la balle qui lui est destinée. On chavirait sur la pelouse du Parc pour recommencer jusqu'à plus soif et goûter au moment délicieux du contact avec l'herbe fraîche, de la vision en perspective du fût des arbres. Les petites filles qui partageaient nos jeux se précipitaient et sanglotaient, couchées sur notre poitrine. Nous aimions mourir, elles aimaient nous pleurer.

Puis Mando, ses mèches blondes entre les bras, appuyé à l'entrée de la grotte taillée dans le grand rocher, faisait durer le plaisir en tremblant délicieusement. Il attendait le plus longtemps possible pour lancer enfin, d'une petite voix :

« Loup, y es-tu ? M'entends-tu ? Que fais-tu ? »

L'écho le surprenait quand sa phrase lui revenait, lointaine, déformée. La dernière syllabe, comme une balle folle, ricochait sous la voûte :

« Tue… Tue… Tue »

Caché derrière une haie de fusains je grossissais ma voix, féroce. Je me réjouissais à l'idée de ne faire qu'une bouchée de mon ami, qui me dépassait déjà d'une bonne tête :

« Je mets ma culotte, j'enfile mes bottes, et... j'arrive ! »

Lorsque la pluie nous interdisait le Parc, nous nous retrouvions chez Mando dont l'appartement, à mes yeux d'enfant, paraissait immense. Enza y faisait régner une propreté méticuleuse, ses parquets dégageaient un parfum d'encaustique et de ses placards s'échappait celui de la naphtaline. J'enviais à mon ami cet espace sombre et silencieux, la salle à manger, avec sa table assez vaste pour nous permettre de jouer au ping-pong, d'y installer le circuit d'un train électrique, le salon, au centre duquel trônait un piano à queue dont personne n'effleurait jamais le clavier, la cuisine où, à petits bouillons, mijotait durant des heures une sauce à la tomate ou un osso buco. J'aimais surtout la chambre de Mando, isolée au fond de l'appartement, qui ouvrait sur un long couloir, propice aux poursuites et aux explorations. Assis sur son lit, nous y dévorions sa collection de bandes dessinées qui remplissait toute une armoire, pendant que nous parvenaient les voix de Nine et d'Enza, bavardant autour d'un café.

Pas une découverte que nous n'ayons partagée, pas un moment de liberté dont nous n'ayons profité ensemble.

Seul l'été nous séparait, lorsque Mando descendait avec ses parents rejoindre le reste de sa famille en Italie. Alors chacun de nous vivait cette parenthèse de son côté, attendant le moment des retrouvailles. Au retour je lui racontais les plages normandes, le ciel gris, il me parlait de Viareggio, de ce soleil dont je n'avais jamais connu la morsure, qui avait bruni son visage et doré ses cheveux. Il m'apprenait ce qu'étaient les « granite » dont il se désaltérait, que *Le Journal de Mickey* s'appelait là-bas *Topolino* et je lui enviais sa compréhension d'une langue si chantante, lui qui avait un peu honte, je m'en apercevais, de l'accent de ses parents.

Un jour Mando m'accueille en m'annonçant que la guerre est déclarée avec une bande ennemie, il faut faire vite, la horde hurlante débouche déjà d'une allée latérale et se précipite vers nous.

Sans me laisser le temps de lui demander des explications, Mando m'ordonne de le suivre et part en flèche, prédisant notre perte si nous tombons entre leurs mains. Prisonnier d'une situation qui le dépasse, mon cœur bat à tout rompre. Otage d'un conflit que je n'ai pas déclenché, me voilà tenu de me ranger dans un camp, simplement parce qu'il est celui de mon ami. Situation qui me terrorise. Beaucoup plus grand que moi, Mando me distance rapidement, je n'ai pas parcouru cent mètres que nos assaillants sont sur moi.

Je m'arrête, entouré d'un cercle d'enfants inconnus, menaçants, avec dans la bouche un goût de carton. Mando disparu à l'horizon, je suis seul face au danger. Le chef de la bande, un petit rouquin trapu, m'attrape par mon chandail :

« Je te préviens, les amis de nos ennemis sont nos ennemis, tu le connais l'Italien de Fénelon ? »

Le mot sonne à mes oreilles comme Ganelon ou félon, j'ai du mal à me dépêtrer de ce nom de traître. La poigne du petit rouquin est solide, lui et les siens ont le regard déterminé, des traînées de crasse sur le visage.

« Alors, réponds ! Tu le connais oui ou non ? »

Le Parc, les arbres, les allées se teintent de jaune, j'ai envie de vomir, jamais encore je ne me suis senti si près de la mort. J'entends une voix qui monte d'un cran, ma voix lointaine qui répond :

« C'est la première fois que je viens au parc, comment est-ce que je pourrais le connaître ? Un Italien, en plus ! »

« Pourquoi tu courais alors ? Fais attention, tu pourrais le regretter, tu jures que tu le connais pas ? »

J'entends le mépris dans la voix d'Enza, la mère de Mando si croyante, quand elle parle de Judas, sa haine sincère pour celui qui a vendu son Sauveur. Cette voix qui doit être la mienne répond :

« Bien sûr que je le jure ! »

« Tu tends la main et tu craches par terre, allez ! »

J'ai du mal à rassembler assez de salive. Un crachat mousseux jaillit enfin, creusant un cercle minuscule dans la poussière, que je fixe obstinément.

« C'est bon, tu peux y aller, mais souviens-toi que c'est chez nous ici, la bande de Chaptal ! »

Je retourne auprès des chaises où cliquettent les aiguilles à tricoter. On m'y donne un goûter auquel je ne touche pas : j'attends Mando qui ne saurait tarder, Mando l'intransigeant qui va poser des questions et à qui il va falloir mentir. C'est la première ombre sur ces années d'enfance, celle d'une lâcheté qui me pousse à disparaître, à chercher la main de Nine pour fuir du Parc.

Disparaître, voilà à quoi j'aimais jouer, de retour du collège, au moment où je me retrouvais devant la porte cochère de mon immeuble. J'avais un rituel : jeter un bref coup d'œil alentour, pousser le battant le plus rapidement possible et me glisser comme un voleur dans la pénombre du hall. Je m'imaginais alors dans une dimension parallèle, un autre monde laissant loin derrière lui le va-et-vient des passants, la fièvre de la circulation. Tout le confirmait, la fraîcheur des murs, le moelleux du tapis d'escalier, l'élévation enfin, qui me conduisait aux portes de mon domaine. Une fois à l'abri chez moi, il ne me restait plus qu'à compter, trois, trois fois trois, trois fois trois fois trois – un autre de mes rituels – et tout s'apaisait, jusqu'au lendemain.

Quel soulagement quand je disparaissais, échappant à l'Autre, l'Abominable, le grand du lycée posté chaque jour au coin de ma rue, devant la vitrine du Cercle Bleu, pour me persécuter. De loin j'appréhendais son manteau gris tout raide avec ses boutons de corne, ce col élimé auquel mon regard allait s'accrocher pendant toute la conversation, je subissais déjà la douceur poisseuse de la voix et de l'haleine, avec son trop-plein de sucreries, ce parfum rose entre le chewing-gum et la barbe à papa. Je tentais un sourire et deux trois détails de moi-même me devenaient aussitôt insupportables, la sensation d'un fil de salive cousant mes lèvres et un tic certainement perceptible qui agitait mon œil gauche. L'échange de banalités durait, puis sa voix durcissait et je sentais venir le moment où il allait me saisir par le colbac.

Avec un petit rire grinçant, il me demandait ce que cachait mon cartable si lourd, puis sa main attrapait les deux pointes de ma chemise. Il y imprimait une marque, un froissement, des taches grasses. Et de tout cela, lorsque enfin je m'envolais, ne restait qu'un sentiment d'anéantissement : avoir été tout à fait cet Autre quelques instants, jusqu'à la nausée, ne lui avoir opposé d'autre résistance qu'un léger haut-le-corps, avoir exhibé mes papiers à ce douanier intraitable, avoir versé complètement de son côté, souri quand il l'exigeait, dit « Oui », dit « Non » quand il me le demandait.

Jamais je n'en parlais à Mando, il se serait aussitôt rangé du côté de ma mauvaise conscience, comme il savait si bien le faire :

« Bon sang, Loup, qu'est-ce que tu attends ? Même si tu dois y laisser une dent, tu lui colles ton poing sur la figure et je t'assure, tu n'entendras plus parler de lui ! »

Oui, Mando. Bien sûr, Mando. Tu as toujours raison quand tu opposes ta détermination à ma faiblesse. Et je courais, serrant contre moi une misérable victoire : ne pas avoir laissé couler de larmes devant l'Abominable qui serait encore là demain, vigile à son poste. J'avais mérité ce paradis, gagné marche après marche, répétant mon pauvre rituel des multiples de trois. Tout mort que j'étais, je goûtais la lumière tamisée des stores, les bras accueillants d'un fauteuil. Là-bas la vie continuait, j'en percevais les preuves lointaines, un coup d'avertisseur, un appel qui se mêlait à la tiédeur de ces premières journées d'été. Au cœur de cette douceur et malgré de longues gorgées d'eau fraîche bues au goulot flottait une amertume, une haine devenue abandon, totale lâcheté. Alors j'entendais la voix de Mando :

« Mais vas-y bon sang qu'est-ce que tu attends ? »

De retour du Parc, laissant loin derrière nous Nine et Enza, nous nous précipitions dans l'immeuble de mon ami pour un ultime moment de jeux. Jean nous arrêtait à la porte de la loge, assis sur son pliant. Le fils de la concierge nous proposait des bonbons et nous montrait ses œuvres, inspirées des albums de Hergé, masques gravés sur des panneaux d'aggloméré, fétiches Arumbayas aux yeux fâchés, aux lèvres proéminentes comme celles de la statue du Chevalier de Hadoque. Le jeune homme au gros ventre articulait quelques mots incompréhensibles, s'empourprait et cherchait à nous suivre dans les escaliers en moulinant des bras mais, plus rapides, nous lui claquions la porte au nez. Quand Enza insistait, nous nous efforcions de lui faire partager nos jeux mais nous nous lassions vite : il ignorait les règles, suçait les pions du jeu de dames comme des pastilles de réglisse ou envoyait balader les petits chevaux avec des cris de joie.

Tout en lustrant les cuivres de l'immeuble sa mère récitait à qui voulait l'entendre la liste des établissements spécialisés qui avaient refusé son fils, en se tamponnant les yeux avec son chiffon à poussière. Pendant ce temps le grand bébé assis devant la loge agitait inlassablement une feuille de papier journal devant ses yeux.

Arrivés dans l'appartement, nous enfilions l'interminable couloir en faisant des glissades et nous nous enfermions dans la chambre de Mando. Après avoir recouvert la lampe de bureau d'un foulard pour en tamiser la lumière, nous nous installions à califourchon sur un traversin : là, dans leur pirogue, les explorateurs pouvaient enfin commencer le voyage qui les mènerait jusqu'à la vallée des dinosaures. Dans la collection *Marabout* nous ne rations aucune des aventures de *Bob Morane*, Mando y empruntait le menton volontaire de Bill Ballantine et moi, la coupe en brosse de Bob : nous formions une sacrée équipe. Mais, par-dessus tout, nous aimions Blake et Mortimer, pour lesquels Jacobs avait dessiné un univers à notre mesure. Mando portait le trench-coat du colonel et moi la barbe rousse du professeur, Londres n'avait d'existence pour nous qu'à travers *La Marque jaune*, nous ne connaissions l'Egypte qu'au travers des deux albums du *Mystère de la Grande Pyramide* et nous envisagions de nous rendre à Buc pour y repérer le viaduc et la propriété secrète de *S.O.S. Météores*. Dans la chambre de Mando nous adorions rejouer *Le Piège diabolique* : Mortimer s'y voyait expédié dans le temps, sans espoir de retour, par le sinistre Professeur Miloch. Il errait de la préhistoire au Moyen Age dans une sphère d'acier lumineuse, volontairement déréglée par le cerveau malfaisant, vaisseau temporel fou qui lui interdisait de retourner dans son époque.

« Hé ! Hé ! Professeur Mortimer, voici un Sélecteur Temporel savamment détraqué qui, sauf erreur, vous réserve quelques petites surprises ! »

« By Jove! Le misérable!!! Voilà donc la vengeance qu'il s'était préparée : DÉRÉGLER LE CHRONOSCAPHE AFIN DE M'ENVOYER SANS ESPOIR DE RETOUR DANS L'INFINI DES TEMPS*!!!* »

Pris au piège, Mortimer n'était plus de ce monde, perspective qui nous lançait, Mando et moi, dans d'interminables discussions métaphysiques. Nous rêvions de prendre les commandes de la redoutable machine afin d'infléchir le cours de l'histoire. Mando plaisantait, mais il me troublait quand il imaginait qu'un voyage dans le passé pourrait empêcher sa propre conception, s'il faisait irruption dans la chambre de ses parents au moment fatidique.

J'admirais l'élégance de ma mère, toute à ses mondanités, la prestance de mon père, que ses affaires éloignaient de nous chaque semaine, mais je réservais ma tendresse à celle qui m'avait élevé : ma tante Nine. Ronde, avec ses accroche-cœurs et sa petite robe noire, avec ce collier de corail rose chair, dont elle m'affirmait qu'il perdrait ses couleurs s'il n'était pas porté. Célibataire, sans enfants, Nine n'avait que moi. Je répondais à son affection, les après-midi au Parc, interrompant nos jeux pour courir vers elle, sous les remarques ironiques de Mando, qui ne se laissait aller à aucune démonstration de ce genre avec sa mère. Soucieux de plaire à mon ami, je me suis détourné de Nine en sa présence et j'ai ignoré les bras, si souvent tendus, de ma seconde maman.

Des années plus tard, lorsque je l'ai mise en terre, j'ai cru l'entendre dire : « Je suis sûre que tu ne reviendras jamais me voir. » J'avais eu une réaction violente devant sa fosse creusée à même la glaise humide, quand je m'attendais à l'image plus propre d'un caveau de béton. Laisser Nine au cœur de cette terre grasse m'avait paru insupportable. Je l'ai imaginée prononcer ces mots avec la même petite voix, si souvent entendue, cette petite voix qui me reprochait de ne plus l'embrasser ou, lorsque j'étais devenu adolescent, d'oublier des semaines durant de lui rendre visite.

J'aurais pu lui répondre : « Mais si, je viendrai souvent, je te le promets, je t'apporterai des violettes, tes préférées » et elle aurait ajouté, pendant que son cercueil se posait avec un chuintement sur le fond boueux de la fosse : « Qu'est-ce que tu paries ? », ces mêmes mots, entendus quelques jours auparavant, quand elle m'avait appelé de La Salpêtrière, convaincue qu'elle allait mourir. J'avais tenté de la rassurer, mais je voulais m'épargner une douzaine de stations de métro et surtout ne pas manquer la première séance d'un film que Mando et moi attendions depuis longtemps :

« Tu as déjà eu ce genre de problèmes, tu vas très bien t'en sortir ! »

« Pas cette fois, qu'est-ce que tu paries ? »

« Du champagne, et du meilleur ! Nous le boirons dès que tu seras sortie ! Je viendrai te voir demain, je te le promets. »

Le soir même elle gagnait sa bouteille et le jour de ses obsèques voilà qu'elle remportait encore une fois la mise : je ne suis jamais revenu la voir.

Quand les amies si parfumées de ma mère me rendaient visite dans ma chambre, les mercredis du bridge, je leur demandais :

« Tu es morte ? »

Et, pendant que dans la pièce voisine leurs cartes s'étalaient sur le tapis vert de la table, elles me répondaient :

« Oui, mon chéri. A quoi joues-tu ? »

Puis elles me tenaient compagnie un moment, avec leurs vestes à boutons dorés, leur rouge à lèvres framboise, leurs joues nimbées de poudre jusqu'à ce qu'un appel du salon me les ravisse. La partie reprenait, mes mortes m'abandonnaient alors et j'entendais de nouveau les échos d'une querelle autour d'un trois sans-atout. Tout s'apaisait au moment des tartelettes, des petits-fours et du thé au citron, réconciliation à laquelle j'étais convié. Très tôt – bien loin du formol, des tables de dissection et des écorchés laissant couler leur jus dans des gouttières d'acier –, l'idée de la mort s'est associée pour moi aux essences capiteuses de leurs fourrures. Privilégié, j'avais pu jouir du cadeau que me faisaient les invitées de ma mère, ces belles défuntes : leur première visite de politesse depuis l'autre monde.

Pouvais-je savoir que j'accompagnerais l'une de ces visiteuses dans sa dernière traversée, pour ne pas la laisser seule à bord d'un lit d'hôpital ? Ma morte préférée, Gaby de la nuit, petite fille descendue d'une autre planète, bridgeuse extraterrestre débarquant dans l'univers des pâtisseries et des rixes mondaines du mercredi après-midi. Dévoreuse de quotidiens achetés par liasses au kiosque, délaissant la une sanglante et les cours de la Bourse pour se précipiter sur la page des bandes dessinées. Collectionneuse de recettes quand jamais le moindre plat ne sortait de sa cuisine rutilante, noctambule amoureuse des brasseries parnassiennes où elle distribuait sa viande aux chiens de ses invités, pilier des cercles de jeu insomniaques où, pour se refaire, elle dilapidait sa retraite.

Elle ne se sentait jamais autant elle-même, m'affirma-t-elle un jour, assise sur le tapis de ma chambre, que le cœur au bord des lèvres (elle venait de partager avec moi une demi-douzaine d'amandines). Alliée inattendue, voilà qu'entrait de plain-pied dans mon univers une complice de l'âge de ma mère, plus proche et plus tendre, gourmande jusqu'à l'excès, se régalant de l'improbable, cultivant la dérision. Son élégance (elle déclinait dans ses tenues toutes les nuances de noir) et sa coupe de cheveux à la garçonne n'étaient pas pour rien dans son charme. Elle m'installa, dès que j'en eus l'âge, aux tables de baccara, me fit goûter mes premières Camel (à ses yeux les plus opiacées), mes premiers whiskies (elle en consommait une quantité à faire frémir la Faculté) et m'introduisit à la lecture des meilleurs auteurs de la Série Noire dont elle possédait la collection complète, entassée jusqu'au plafond de ses toilettes. La petite fille qui cohabitait avec cette femme mûre échangeait avec moi, sans souci d'une quelconque différence d'âge : après Mando, je m'étais fait une amie d'enfance.

Souvent j'ai envié à Gaby son amour de la vie, son enthousiasme lorsque, dans le nouveau bistrot qu'elle dénichait chaque semaine, elle m'invitait à un dîner couronné par trois cafés en ligne et deux cognacs, puis l'ardeur de ces nuits blanchies au black-jack et au chemin de fer où, en grand secret, elle me confiait les martingales infaillibles qui l'avaient menée au bord d'une ruine certaine. Défiant la mort, elle envisageait sa fin avec sérénité :

« Le jour où je n'aurai plus de quoi commander du champagne, adieu Berthe ! »

L'hiver de nos dix ans, les parents de Mando envisagèrent de se rendre en Italie, pour un court séjour. Tous deux pensèrent qu'à cette occasion leur fils pourrait passer les congés de Noël en colonie de vacances. Mando m'en parla avec excitation, mais il ne pouvait imaginer vivre cette nouvelle expérience sans moi. Nous partagions tout, cette aventure ne ferait pas exception. Découvrir ensemble une telle liberté, loin de nos familles respectives, était tentant. Dans l'enthousiasme du moment je lui donnai mon accord, j'en parlai même à mes parents qui n'y virent évidemment pas d'inconvénient.

Que s'est-il passé, les semaines qui ont suivi, pour que ma détermination faiblisse à ce point ? A chacune de nos rencontres Mando me parlait de ce projet avec une fièvre grandissante et, tout en feignant de partager sa joie, j'étais déjà convaincu que je ne serais pas du voyage. La date du départ se rapprochait et il me devenait impossible d'avouer à mon ami que je ne voulais pas m'éloigner de mon univers familier. Ces quinze jours auprès d'enfants inconnus me paraissaient insurmontables, je m'y voyais entouré de visages hostiles, l'Autre Abominable ou la bande de Chaptal. Ma décision était prise, mais Mando ne l'apprit que le jour du départ, lorsqu'il ne me vit pas sur le quai de la gare.

Le jour de la rentrée, inquiet de sa réaction, j'appelai mon ami au téléphone pour reprendre nos rendez-vous hebdomadaires, mais personne ne répondit, pas davantage les jours suivants. Après une semaine Nine m'accompagna chez lui, mais ce fut pour y trouver les volets clos et c'est un silence qui accueillit notre coup de sonnette. Au moment où nous redescendions, la concierge sortit de sa loge et nous apprit que Mando, qui s'était cassé le poignet pendant son séjour en colonie, avait été emmené en Italie par ses parents pour se faire soigner. Elle ignorait la date de leur retour.

Deux mois plus tard je reçus enfin des nouvelles. Un petit mot de Mando m'informait qu'il allait mieux et serait à Paris la semaine suivante.

Étonné que mon ami ait été soigné en Italie pour une fracture, j'attendis le samedi pour le retrouver, craignant ses reproches. Mando ne m'en fit aucun, il m'accueillit en exhibant un poignet bandé et répondit brièvement à mes questions : son père avait un ami chirurgien à Viareggio qui s'était occupé de son cas. Trop heureux de ne pas avoir à justifier ma trahison, je l'interrogeai sur les circonstances de son accident. Il évoqua un concours de saut à ski sur des bosses, au cours duquel il avait voulu ne pas démériter.

Nous avons remisé le malaise dans lequel nous avait plongés l'affaire de la colonie de vacances. Mando et moi voulions nous penser jumeaux, si transparents l'un pour l'autre, mais, après ma trahison du Parc, cet épisode avait projeté une deuxième ombre sur notre amitié. Un trouble qui ne trouverait son explication que longtemps après, quand j'apprendrais la vérité sur cet accident de ski.

La parenthèse refermée, nous avons grandi. Longs et filiformes, ayant poussé tous les deux un peu trop rapidement, nous nous demandions comment nos silhouettes dégingandées allaient pouvoir séduire les filles mais d'autres plaisirs, plus accessibles dans l'immédiat, nous tendaient les bras et, face à nous, miroitaient les promesses des années à venir.

Mando, mon meilleur ami. Mando l'intransigeant avec qui je partage tout, depuis les premiers jeux au Parc. Mando qui ne me laisse jamais m'éloigner des idéaux que nous nous sommes fixés, qui pointe mes faiblesses et dont je crains le jugement. Mando et sa force, sur laquelle je m'appuie quand, si souvent, le courage me manque.

Adolescents, nous nous sommes enflammés pour la littérature fantastique et nous avons scellé ce pacte enthousiaste : le premier de nous deux qui passe de l'autre côté se débrouille pour faire signe à celui qui reste. Beaucoup se le sont promis, mais nous c'est autre chose. Nous avons délaissé notre livre favori, *Le Fantôme de l'Opéra* (Gaston Leroux lu à deux voix dans l'obscurité de la chambre de Mando, au fond du grand couloir), pour dévorer les ouvrages traitant du paranormal (Camille Flammarion : *Les Maisons hantées*, Pauwels-Bergier : *Le Matin des magiciens*). Mando s'était pris de passion pour le spiritisme et m'emmenait tester les tables tournantes dans des soirées interminables où nous attendions en vain qu'un meuble vibre, frappe quelques coups ou fasse le tour de la pièce. Il y avait toujours, parmi nos amis, le rescapé d'une expérience mémorable qui nous mettait en appétit avec un récit de guéridon déchaîné grimpant les escaliers, entraînant avec lui sa grappe de spirites. Ou encore un adepte d'Allan Kardec, rencontré au cours de nos promenades au Père-Lachaise, qui nous communiquait la meilleure adresse de Paris. Ils parvenaient à raviver l'enthousiasme de Mando et nous nous retrouvions en cercle, dans quelque appartement sombre, peuplé d'excentriques et de vieilles actrices folles, mains en contact, respiration profonde. Mais à part quelques mémorables fous rires, la pression un peu trop insistante d'un genou voisin ou la colère du médium en chef, rien de concluant ne se produisait. Le verre retourné sur le sol, entouré de jetons de Scrabble ne donnait pas de meilleurs résultats. Certes il se promenait sous nos doigts, semblait aimanté par certaines lettres, virevoltait, mais pour nous délivrer des messages incompréhensibles qu'une de nos pythies affirmait être du sanscrit.

Les rayons des bibliothèques aiguisaient notre appétit d'écrire car, déjà préoccupés par l'inévitable échéance, nous avions découvert ce moyen d'accéder à l'immortalité. Sévères critiques, nous comparions nos textes. Sans doute intrigué par le nom de la station de métro qui enjambait l'Institut médico-légal, j'avais inventé une histoire qui se déroulait quai de la Rapée. Dans le sinistre bâtiment de brique surplombant une écluse, je faisais vivre un peuple de gardiens, récit très inspiré par le *Metropolis* de Fritz Lang, que Mando et moi avions vu la semaine précédente à la Cinémathèque. Je l'avais intitulé *Despera* et j'en étais assez fier, du haut de mes seize ans. Mando l'avait apprécié, c'était l'essentiel.

Mon récit était consigné dans un cahier Clairefontaine à spirale que je remplissais avec fièvre, en écoutant la *Fantastique.* J'avais repéré que mes passages préférés, ceux où l'orchestre se déchaînait, creusaient des sillons plus profonds dans le vinyle du 33 tours et je plaçais toujours le bras de mon tourne-disques au début de ces plages sombres.

Mando était mon seul lecteur, j'attendais avec impatience la fin de la semaine pour lui apporter ma dernière livraison. Il gardait secret son journal, dans un tiroir de son bureau, mais me réservait en revanche la primeur de ses autres écrits. Cette année-là, il s'attaquait aux grands mythes et il avait choisi de commencer par celui d'Orphée, avant de revisiter Œdipe et Prométhée. Sa version de la légende m'avait troublé : Hadès y proposait à Orphée de déposer, sur le plateau d'une balance, le poids de sa douleur ; si un an plus tard, jour pour jour, il demeurait inchangé, alors l'inconsolable repartirait avec son Eurydice. Persuadé que sa peine ne s'apaiserait jamais, le poète remontait à la surface de la terre avec la certitude de retrouver, après cette longue attente, celle qui lui avait été ravie. Ses larmes jaillissaient à chacune des évocations d'Eurydice et les accents de sa lyre continuaient d'émouvoir jusqu'aux bêtes sauvages. L'échéance arrivée, Orphée soumettait de nouveau sa douleur à la pesée mais il constatait avec horreur que celle-ci, malgré ses larmes et ses chants, était devenue plus légère.

Hadès triomphait, le temps avait accompli son œuvre : Orphée avait définitivement perdu sa bien-aimée.

Jamais je ne songeais à reprocher à ma mère les nombreuses occupations qui la rendaient si peu disponible. Aussi je souffrais de la façon dont mon ami traitait Enza, de la violence avec laquelle il bousculait ses convictions. Quand je m'enhardissais à lui en faire la remarque il répondait sèchement :

« Tu ne sais pas tout, Loup, ma mère n'est pas celle que tu crois ! »

Elle m'attendrissait pourtant, immense et ronde, cette femme qui cuisinait si bien les pâtes et à laquelle mon ami faisait du mal. Elle vacillait sous les attaques de son fils et quand son œil s'humectait je balançais aussitôt de son côté, quelle que fût la justesse des arguments de Mando. Je voulais la protéger, contre lui. Elle me faisait de la peine, brandissant le bouclier d'une foi naïve que, sans pitié, il bousculait.

« Mais arrête avec ton Jésus ! »

Il lui envoyait ça, régulièrement, dès qu'elle invoquait le Ciel. Il savait que c'était ce qu'elle avait de plus précieux.

« Tu ne peux pas dire ça, Mando, c'est le fils de Dieu, il est mort pour nous ! »

Elle courait les églises, y brûlait sûrement des cierges pour le repentir de son fils.

« Tu me fais rire avec ses souffrances ! Il a été torturé, il est mort pour nous ! Au moins il est mort pour quelque chose, lui, c'est bien le seul, le seul pour qui ça pouvait avoir un sens ! Ça facilite tout de même les choses, non ? Enfin, si quelqu'un pouvait avoir la certitude absolue d'une vie éternelle c'était bien lui, il savait d'où il venait, où il allait retourner ! Alors mourir dans ces conditions, tu parles ! »

Enza le regardait, terrifiée et incrédule. Mais elle lui pardonnait car il ne savait pas ce qu'il disait, et cette expression sur le visage de sa mère avait le don de l'exaspérer.

« Mais il a souffert quoi, Enza ? (Il ne l'appelait jamais maman.) Trois jours ? Une vingtaine de coups de fouet, une couronne d'épines qui lui a égratigné le front et puis, oui, la crucifixion ! Là je veux bien, ça a dû être pénible, les clous, tout ça... mais qu'est-ce que c'est comparé à ce qu'ils ont souffert à Auschwitz, des années durant, ceux qui sont passés sous le scalpel, ceux dont on a pris la peau pour faire des abat-jour, le gras pour faire du savon ? Ah non ! Ce n'est certainement pas le fils de Dieu qui a le plus souffert sur cette terre, alors ne me rebats plus les oreilles avec ça ! »

Beaucoup plus tard, les médias m'ont mis sous les yeux le spectacle insoutenable d'une petite Colombienne agonisant des jours durant, jambes broyées dans son trou de boue, sous le regard des caméras du monde entier. Je me suis dit qu'accrochée à sa poutre, elle ravissait la palme au fils du Seigneur, cloué sur ses pauvres madriers. J'ai repensé à Mando, à la brutalité de ses arguments. Je n'ai pas eu le courage de regarder plus longtemps ce petit Jésus en haillons dont le regard s'éteignait, cette fillette mourante saisissant les mains qui se tendaient, j'ai maudit tous ceux qui l'entouraient, les objectifs braqués sur ce visage de terre et j'ai maudit Dieu lui-même. Mais la violence de ce sentiment m'encombrait. Qui était donc cet Autre dont l'existence m'importait à ce point, cet Autre sous le nez duquel j'aurais voulu brandir le cadavre d'une fillette pour lui prouver que s'il nous fallait vraiment un Christ, il était là, non pas au ciel mais dans la fange, sous les traits de ce petit martyr.

Des années auparavant, alors que nous déchirions encore nos culottes courtes sur les graviers du Parc, le Sauveur avait d'une tout autre façon excité notre curiosité. Garçons et filles, croquant dans nos tartines de chocolat en poudre (à quatre heures, saupoudré sur une épaisse couche de beurre, elle-même recouvrant une tranche de pain frais), troublés par la plastique avantageuse du supplicié, nous réduisions la métaphysique au pur physique, lorsque arrivait le délicieux moment des confidences. Alors des images surgissaient, réservées à la nuit. Des bouches léchant des blessures, des mains glissant sur des torses de marbre. La discussion se terminait, dans les rires et les cris, par une course-poursuite autour du bassin aux carpes. Jusqu'au soir nous reprenions nos jeux sans plus repenser à l'incarnation de Dieu dans son fils, mais chacun de nous, enhardi par l'aveu des autres, emportait les sensations inédites que le corps du Christ lui permettrait d'explorer plus avant.

Qu'Il existât ou non je Lui en voulais, à ce Dieu haï, pour le mal qu'Il s'ingéniait à nous faire comme pour le silence obstiné qu'Il produisait au tribunal où je Le sommais de comparaître. En tout cas Il n'était pas pressé de s'y manifester. Était-Il toujours aussi éloigné de nous, vivants ou morts ? Ou bien encore, comme Mando l'avait un jour supposé, ne réservait-Il la vie éternelle qu'à ceux qui Lui avaient témoigné leur foi ?

Les affiches des films de Fellini avaient remplacé dans la chambre de mon ami les posters des héros de notre enfance. Nous y écoutions les musiques de Nino Rota dans une pénombre parfumée d'encens, tout en débattant de notre sujet favori. La mort nous fascinait, objet de la plupart de nos discussions d'adolescents. Je tentais de convaincre Mando : si vraiment le Verbe était au commencement, le néant ne pouvait pas être du côté d'un « Et tu retourneras à la poussière » mais plutôt d'un « Et tu retourneras au Verbe ». Je n'étais pas mécontent de cette idée d'inscription : des mots, toujours des mots, pour annoncer notre venue comme pour se souvenir de nous, de « Comment va s'appeler ce petit bonhomme ? », à « Comment s'appelait-il, déjà ? », avec entre les deux une brève incarnation. Sur le registre des naissances, un nom nous extirpait des limbes pour nous permettre d'occuper notre place ici-bas, et ce même nom, gravé au burin dans le marbre, suffisait à nous rappeler au bon souvenir de nos survivants. S'il existait un semblant d'éternité c'était forcément du côté du nom que ça devait se passer, point.

Mando, quant à lui, pensait que ce Verbe, précisément, pouvait encore jeter un pont entre les vivants et les morts, il en voulait pour preuve les expériences spirites.

Je refusais de croire aux longues files de disparus penchés vers nous avec sollicitude, ancêtres affublés d'aubes blanches, amis enlevés précocement à la vie. L'idée de retrouver ceux que j'avais aimés à ma façon, ficelé dans ma terreur de les voir disparaître, aurait pourtant été réconfortante.

L'ai-je assez soutenue à l'époque, ma théorie au cours des dîners de famille, face à quelques oncles et tantes, tenants de la vie éternelle ! Je n'étais pas mécontent de sortir, devant mon auditoire indigné, ma conception du drame humain, celle d'une âme si chevillée à la viande qu'elle pourrissait avec, et d'ajouter, sûr de mon effet, que les discours théologiques ne trahissaient que le pathétique désir de nier cette réalité de chair toute crue. Aucun tunnel avec phare blanc à l'extrémité, comme dans ces livres à sensation que Mando m'avait prêtés : *La Vie après la mort, des témoignages*, pas non plus de grand escalier style Casino de Paris avec rangées de boys et de girls tombés au champ d'honneur, strass, plumes, voiles, faisant la haie au nouveau venu jusqu'à la plus haute marche où l'attendait le Grand Meneur de Revue.

La symétrie paraissait séduisante : d'un côté de la frontière la file d'attente devant la veuve, pour l'accolade ou la poignée de main de rigueur, de l'autre, en miroir, le défunt embrassant lui aussi, serrant les mains de la longue cohorte de ses prédécesseurs dans l'au-delà, venus l'accueillir. Encore une image pieuse à jeter au panier.

Dans le grand chalet croulant sous la neige, Mando et moi partagions, cet hiver-là, une chambre spartiate meublée d'une commode et de lits superposés, contiguë à celle de deux filles de notre âge. Nous n'avons pas tardé à faire leur connaissance, puis leur conquête, au cours de folles nuits au Yéti (ou était-ce au Tequila ?). Partis – enfin ensemble – skier dans un club de vacances, nous pouvions dévaler les pistes huit heures par jour et passer la moitié de la nuit à danser, après-ski aux pieds, dans des boîtes enfumées, guettant le moment propice au baiser dans les slows que nous balançait un disc-jockey complice.

Enlaçant nos deux voisines de chambre, nous sommes rentrés au chalet. Installés au bar pour y prolonger les baisers échangés sur *Sag Warum*, nous avons repris notre souffle, parlant de nos pistes préférées, de nos lectures. Une grande randonnée était prévue pour le lendemain et Mando, le plus audacieux de nous deux, a proposé au moment du coucher, d'opter pour la mixité dans nos petites chambres. Je me suis surpris à espérer un refus des filles, soudain angoissé à l'idée de mettre pour la première fois ma virilité à l'épreuve, mais éméchées par les Coca-whiskies, nos partenaires ont accepté l'offre.

Mando a consigné ce souvenir dans son journal, je le découvrirai plus tard, lorsque j'y aurai enfin accès : il y note le regard éploré que je lui jette au moment de notre séparation, il me revoit ouvrir la porte de notre chambre dans un mouvement, note-t-il, *« empreint d'une certaine cérémonie »* (la comptine obligée, le rituel de mon enfance : trois fois trois fois trois), avec une clef qu'il compare à celle, plus symbolique, de mon pucelage. Il y décrit le déshabillage de sa compagne au chignon crêpé, seins dressés jaillissant du pull-over de montagne, et la même scène en miroir de l'autre côté du mur, son meilleur ami contemplant lui aussi une nudité offerte pour la première fois, puis tendant la main vers une toison parfumée pour y aventurer un doigt timide.

Le lendemain matin j'étais un homme, fier d'avoir perdu si jeune mon innocence. Jetant un regard de mépris sur nos camarades, ces adolescents boutonneux maladroits avec les filles, un frémissement d'orgueil me traversait au souvenir de l'étreinte rapide à laquelle une explosion en gerbes lumineuses avait si rapidement mis fin. Ce plaisir indicible, je n'en doutais pas une seconde, avait été partagé par ma nouvelle amie, il me suffisait de lire dans son regard.

Quelques années plus tard, dans notre repère au fond du grand couloir ciré, feuilletant un album de photos, souvenir de ces vacances passées, nous tombons sur les portraits de nos deux conquêtes. Je pointe du doigt celle qui a fait frémir Mando, la blonde au chignon crêpé, dotée d'un appendice nasal assez développé, le regard souligné d'un épais trait d'eye-liner :

« C'est drôle de penser que nous avons été amoureux de ces filles (la mienne, sur la photo suivante, fait un peu godiche avec son shetland trop juste qui lui dévoile le nombril), regarde cette coiffure, ce maquillage, comme ça paraît démodé aujourd'hui ! »

Avec un petit rire cruel mon ami ajoute :

« C'est vrai, même son nez a un air démodé ! »

Mando se montrera sans pitié pour ses choix sentimentaux du début, lui qui collectionnera par la suite des filles minces, belles, avec pour point commun un amour sans faille pour le cinéma de Fellini. Je lui en ai connu plusieurs, mais comment oublier celle qui aurait pu être l'amour de sa vie et à qui Mando ne pardonna pas, faute irréparable à ses yeux, de m'avoir ignoré ?

Notre vie à tous deux reposait dans une pile de cahiers d'écolier, le journal de Mando. Il me le remettra, solennellement, quelques instants avant que les événements ne se précipitent : j'étais le seul à pouvoir le détenir, me dira-t-il ce jour-là, puisque j'en connaissais le contenu intégral, sans même l'avoir ouvert.

« Mon journal, Loup, tout y est, tu verras que tu aurais pu l'écrire toi-même. C'est nous, c'est notre vie ! »

J'y lirai le récit de nos premières rencontres sur le tas de sable du Parc : Mando avait gardé de ce moment des souvenirs d'une précision photographique. Objets, vêtements, dialogues y étaient restitués scrupuleusement. Aucun détail, fût-il le plus insignifiant, n'avait succombé à l'amnésie recouvrant habituellement ces premières années de la vie. Puis l'histoire suivait son cours, dans le respect absolu de la chronologie, retranscrite fidèlement de sa belle écriture penchée, impeccable. J'aurais pu égrener moi-même, en effet, la plupart des souvenirs de mon ami. L'impression était étrange, vertigineuse : un miroir que je traversais pour aller à sa rencontre. Au fil des pages il nous faisait porter à tous deux des noms variant au gré de nos découvertes : Quick et Flupke, Spirou et Fantasio, Tintin et Haddock, Morane et Ballantine ou les deux héros de Jacobs, Blake et Mortimer, autant de duos inséparables sur lesquels le temps resterait sans effet. Ces noms se succédaient dans le journal, avatars du couple Mando-Loup, dont l'amitié née sur le sable se poursuivrait la vie durant, assortie jusqu'après la mort d'un serment d'infaillibilité. Mando avait tenu à l'inscrire sur l'en-tête de l'un de ses cahiers : « *Le premier de nous deux qui passe de l'autre côté se débrouille pour faire signe à celui qui reste.* »

Tout y était, conversations téléphoniques interminables, sorties hebdomadaires, découvertes enthousiastes, expériences amoureuses, séances spirites. Mais, tranchant sur cette précision de greffier, une évidence me sautera aux yeux : à ce récit manquait l'épisode de la colonie de vacances, pas un mot sur son accident de ski, sur mon abandon. Rien non plus sur nos brouilles, sur aucun des manquements à l'idéal forgé par Mando. Son journal restait le miroir d'une relation qu'il voulait fusionnelle, sans concessions. Une phrase en témoignait : *« C'est cela l'amitié vraie : être l'autre, absolument. Il en a toujours été ainsi entre nous deux et il en sera ainsi jusqu'à la mort, au-delà même. »*

Lorsqu'il lui sera vraiment impossible de maintenir cet idéal contre vents et marées, après ma dernière et trop évidente trahison, il cessera d'écrire. Au milieu du dernier cahier, en tête d'une page il notera simplement : *« Loup passe tout son temps ailleurs, trois rendez-vous manqués, lui dire adieu. »*

Longtemps après sa disparition, je me suis replongé dans les lettres que Nine m'adressait lors de mes départs en vacances et j'ai ressenti le même trouble qu'à la lecture du journal de Mando. Elles se bouclaient invariablement sur la même formule : *« Ta Nine qui t'aime plus que tout »*. Relatant des événements de tous les jours, achat d'une robe, dispute avec une voisine, mais revenant au détour de chaque phrase à l'essentiel de ses préoccupations : la place que j'occupais dans son cœur. Si elle s'absentait à son tour, le récit de son séjour se confondait avec celui de la recherche du cadeau qu'elle me destinait : excursions dans les magasins de souvenirs, jouets, articles de plage. Son angoisse montait, à l'approche de la date du retour, de ne pas dénicher l'objet qui ferait mon bonheur. Inutile de dire qu'elle tombait toujours à côté, ma pauvre chère Nine, avec ses poupées folkloriques et ses amphores *Souvenir-de-Menton* remplies de bonbons mimosa.

Je lui offrais, en miroir, des sentiments conformes à ceux qu'elle attendait éperdument de moi. J'allais jusqu'à lui souhaiter la Fête des Mères. De toute façon elle avait occupé cette place et se proclamait ma seconde maman, voilant à peine son désir de voir disparaître la première, si désinvolte. Je m'appliquais à jouer son jeu, avec ces cartes de vœux que je lui faisais parvenir en secret chaque mois de mai.

Au fil des années, mon emploi du temps s'est rempli d'occupations et de plaisirs parmi lesquels mes visites à Nine tenaient de moins en moins de place. Elles se sont réduites à un déjeuner par semaine, dont elle tenait à faire un véritable festin. A la fin de sa vie son cœur, blessé par mon insouciance, lui coupait le souffle et elle était régulièrement hospitalisée pour des crises d'angine de poitrine. Je recevais alors le coup de téléphone d'un hôpital parisien et je partais la voir, puisqu'il le fallait. Elle tendait les bras en me voyant pénétrer dans la chambre qu'elle partageait avec d'autres vieilles dames, me présentait fièrement à ses compagnes de souffrance, pleurait beaucoup en me disant que c'était la fin et je protestais sans pouvoir étouffer de très vilaines pensées. Je m'agaçais des coups de fil dont elle me gratifiait régulièrement entre nos repas hebdomadaires, durant la semaine qui lui paraissait trop longue. J'attendais un appel urgent, une invitation à une soirée ou la préparation d'une sortie quand la voix de ma seconde maman se plaignait dans l'écouteur, encombrant la ligne.

Jamais, en revanche, je ne manquais un de mes rendez-vous avec Gaby. Au contraire de Nine, dont peu à peu je fuyais la plainte et l'amour envahissant, je me réjouissais de retrouver ma vieille amie des bridges du mercredi, dont l'appétit de vivre m'entraînait dans un tourbillon. Je passais la chercher chez elle, à Montparnasse, une fois par semaine, pour une soirée que je volais à Mando. Nous avions un rituel : nous avalions quelques cafés dans son appartement surchauffé, partageant ses Camel devant un téléviseur allumé en permanence, avant qu'elle ne me demande de l'aider à se choisir une tenue pour notre sortie. Les placards de son dressing s'ouvraient sur un nombre incalculable de chemisiers et de pantalons, uniformément noirs, devant lesquels elle hésitait, sortant un cintre, se ravisant, quémandant mon avis. Une fois rassurée sur son élégance, elle s'emparait de mon bras et nous dévalions les escaliers pour courir le boulevard. Invariablement, nos journées commençaient par une séance de cinéma. Après avoir parcouru le programme de la semaine, Gaby décidait toujours : lisant uniquement des romans de la Série Noire, elle n'aimait que les films policiers. Nous nous installions, à sa demande, dans les premiers rangs et sitôt assise, le nez sur l'écran, elle saisissait ma main pour ne la lâcher qu'au moment où les lumières se rallumaient.

La séance terminée, nous remontions chez elle, non sans avoir fait provision, chez son pâtissier préféré, de ces petits-fours dont elle raffolait. Nous les dégustions au long de la partie de cartes qui allait nous mener jusqu'à l'heure du dîner. Sortis de notre repas, dans l'un de ces bistrots dont on lui avait dit grand bien et où elle mettait la patience des serveurs à rude épreuve, elle me proposait de l'accompagner dans son cercle de jeu. On saluait l'habituée des lieux avec déférence, on lui avançait son siège et, sans compter, elle distribuait des pourboires à tout le personnel, quelle que fût sa chance du soir. Au baccara, au chemin de fer ou à la roulette, elle se réjouissait de ses gains comme une enfant, mais restait parfaitement indifférente à ses pertes. C'est au petit matin que je la ramenais devant la porte de son immeuble, un peu titubante après la série impressionnante de whiskies qu'elle avait absorbée et il me fallait prétexter l'horaire matinal de mes cours pour lui refuser une dernière partie de rami, arrosée de champagne.

« Vous êtes de la famille ? J'ai une mauvaise nouvelle. »

Au téléphone, la voix qui s'adresse à moi me l'annonce avec précaution : ma seconde maman est morte en fin d'après-midi, son cœur a lâché. Je ne peux m'empêcher de repenser à son dernier coup de fil où, une fois encore, elle m'a annoncé l'imminence de sa disparition et où, une fois encore, j'ai tenté de la rassurer, allant jusqu'à parier avec elle une bouteille de champagne.

Ravalant mes larmes, je risque intérieurement :

« Bravo Nine, tu as mérité ta coupe !

L'infirmier m'a recommandé d'apporter à l'amphithéâtre de quoi l'habiller. Elle est arrivée en ambulance vêtue d'un peignoir, on ne peut pas l'enterrer dans cette tenue. Je demande à ma mère de m'aider, elle choisit pour Nine la petite robe noire dans laquelle nous l'avons si souvent vue. Sa voix ne laisse pas transparaître d'émotion, sans doute parce qu'elle n'en éprouve aucune. Elle plie la robe, en fait un paquet qu'elle dépose dans mes bras en me recommandant de le remettre à l'employé de la morgue. Je comprends à ces paroles qu'elle ne m'accompagnera pas.

J'irai seul rendre cette dernière visite à Nine, ma première visite à un mort : ma mère me fait payer la place que j'ai occupée auprès de celle qui l'a supplantée, reproche qu'elle n'a jamais songé à m'adresser du vivant de Nine.

J'appelle aussitôt Mando. Nine fut de toutes nos après-midi au Parc, bavardant avec Enza, couvant de son regard les jeux de celui qu'elle considérait comme son fils. J'ai la voix qui tremble, mais je ne veux surtout pas m'effondrer devant mon ami, me souvenant trop bien de ses remarques sur mes démonstrations d'affection. Il reste silencieux un moment, puis me demande simplement si je vais aller voir le corps à l'hôpital. Je lui fais part de la réaction de ma mère, de la mission qui me revient. Je ressens une légère excitation dans sa voix quand il me demande :

« Tu me raconteras ? Je n'ai encore jamais vu de mort. »

A sa façon, ma mère me l'avait clairement exprimé : j'avais été l'unique, le seul pour Nine, c'est seul aussi que j'accomplirai mes derniers devoirs auprès d'elle. Dans l'autobus qui me conduit vers l'hôpital, mon paquet sur les genoux, je me demande quel visage me réserve ma morte, celle qui, après m'avoir dédié sa vie, va m'offrir le spectacle de mon premier cadavre.

Dans la petite salle d'attente je ne suis pas seul, un veuf est là, raide sur l'une des chaises. Il a déposé à ses pieds un carton sur lequel on peut lire *Au Vrai Chic Parisien*. A l'intérieur sans doute, pliée avec soin, une petite robe noire semblable à celle de Nine, accompagnée d'une paire de bas et d'une combinaison lavande. Dans la pièce voisine un bruit sourd, celui d'un monte-charge. La porte s'ouvre et un infirmier passe la tête pour lancer un nom : le veuf pousse un long soupir, me jette un regard désemparé, se lève avec effort et la porte se referme sur lui. J'entends vaguement leur conversation au travers de la cloison :

« Vous n'oublierez pas de lui mettre sa broche, et ses dormeuses aussi. »

Je m'aperçois que j'ai oublié le collier de corail de Nine, celui qui ne vit que s'il est porté. Il va perdre ses couleurs dans l'ombre d'un coffret. Comme la morte qui attend ma visite, quelque part dans les sous-sols, sans impatience pour une fois, sans rancune dans son cœur dégonflé comme une baudruche. Je revois ses œufs mimosa, ses paupiettes, ses tartelettes aux framboises, je repense à notre dernier rendez-vous manqué, à la solitude dans laquelle je l'ai si souvent abandonnée.

Au bout de quelques instants le veuf ressort, le visage chiffonné il me salue et le monte-charge reprend son voyage. La tête de l'employé apparaît de nouveau et prononce le nom de Nine. Une table de métal, montée sur roulettes, stationne au centre d'une pièce carrelée. Me sentant soudain beaucoup trop jeune pour cette mission, je voudrais faire demi-tour. Sur la table, recouverte jusqu'aux épaules par un drap, repose ma seconde maman, le teint jaune, la bouche grande ouverte, dévoilant un trou noir à la place de ses incisives. Elle n'est pas coiffée comme à son habitude, ses cheveux plaqués n'encadrent plus son visage de leurs accroche-cœurs. Sur ses traits on ne peut lire ni paix, ni souffrance, ni soulagement. Rien qu'une extraordinaire indifférence. Happé par l'abîme que laissent entrevoir ses lèvres décolorées je me surprends, lorsque je commence à parler, à m'entendre simplement dire :

« Est-ce qu'on ne pourrait pas lui refermer la bouche ? »

L'employé me répond, rassurant :

« Oh ! Pour ça ne vous inquiétez pas, on va lui remettre son appareil, elle sera bien différente quand on l'aura préparée, vous verrez, elle aura l'air de dormir. »

Et pour me donner un avant-goût de l'apparence que prendra Nine dans son cercueil, il saisit d'un même geste le menton et le nez du cadavre pour en clore les lèvres. Il s'empare du paquet que je lui remets et me demande si j'ai d'autres recommandations à lui faire quant à l'habillage. Je tends le dos de la main vers la joue de celle qui m'aimait tant et j'en éprouve le froid saisissant. Manifestement, l'infirmier attend que je prenne congé, les mains jointes sur le ventre. Pas question de dire à Nine devant témoin ce que j'ai préparé, de me pencher à son oreille pour lui demander pardon. J'ai l'œil fixé sur la bouche de ma morte qui s'ouvre de nouveau, lentement, comme pour un cri au ralenti, exhibant ses incisives manquantes. La mâchoire inférieure de Nine atteint presque sa poitrine quand je me décide à la quitter.

Voilà, c'est fait. Je vais pouvoir satisfaire la curiosité de Mando et lui annoncer que je suis un autre homme, comme au cours de nos vacances dans le chalet de montagne. Cette fois ce sont les vivants que je ne vois plus du même œil : j'ai contemplé la mort. Qu'il soit dernier ou pas, à l'évidence il ne s'agit pas d'un sommeil, c'est tout autre chose. Sinon comment envisager ce front obstiné sous lequel ne roule plus aucune pensée, aucun reproche, cette peau cireuse qui ne répond plus aux caresses ?

Sur l'étal d'acier, Nine n'aime-t-elle encore que moi, moi seul ?

J'ai laissé Nine sans nouvelles depuis des années. Elle est sortie de mon esprit, tout simplement, et son existence me revient comme revient, accompagnée d'un haut-le-cœur, l'évidence d'un rendez-vous manqué. Le cœur battant je prends conscience que je ne lui ai donné aucun signe de vie durant tout ce temps, elle pour qui j'étais tout. Guettant mes appels comme une lueur au bout de ses journées, la chère âme avait coutume de m'adresser un reproche – ô combien timide – si je ne lui téléphonais pas trois jours d'affilée. Et voilà que je l'ai oubliée des années. J'ai commis cet acte irréparable qui, sans aucun doute, a dû la précipiter dans le désespoir. Dans son minuscule appartement, avec sa radio pour seule compagnie, guettant une sonnerie qui ne retentirait jamais, Nine n'a pas dû oser composer mon numéro de peur de me déranger. Comment saisir le combiné pour lui avouer qu'elle est à ce point sortie de mes pensées, comment tenir un tel discours à celle pour qui je représente – elle me l'a répété et écrit tant de fois, je ne l'invente pas – l'unique raison de vivre ?

Espèce de monstre, espèce de salopard, aboie la voix qui me réveille. La pensée qui me saisit lorsque, trempé de sueur, je prends conscience qu'il ne s'agit que d'un rêve, s'impose à moi sous la forme d'une phrase dont il va me falloir porter le poids, prononcée comme un soupir de soulagement :

« Mais non, tout va bien, elle est morte ! »

Au cours de notre dernière année de lycée, Mando et moi avons sacrifié au traditionnel séjour linguistique en Angleterre. Il était bien sûr hors de question de vivre cette aventure l'un sans l'autre. Mando pensait que ce serait sans doute, après le séjour de ski, l'occasion d'une nouvelle expérience sexuelle, avec l'une de ces petites Anglaises dont on nous vantait la liberté de mœurs. S'il n'a pas tenu toutes ses promesses, ce voyage fut cependant marqué par un événement qui laissa sa trace sur notre amitié, une ombre de plus.

Un soir, nous nous séparons sur la place centrale de la station balnéaire qui nous accueille pour l'été. Je pars avec une bande d'amis, lycéens français comme nous, pour un concert pop dans un cinéma des environs. Mando, quant à lui, emmène danser au Kilt (ou était-ce au Palladium ?) une jeune Anglaise, Wendy, dont il vient de faire la connaissance. Il est enthousiaste, il rêve d'une promenade à Londres avec elle, d'un vol autour de Big Ben ou d'un pique-nique au bord de la Serpentine, à l'ombre de la statue de Peter Pan, le petit garçon qui ne voulait pas grandir. Le rendez-vous pour le retour dans notre bed and breakfast est fixé à minuit et demi, près d'une fontaine, à l'extrémité de la place.

Après mon concert, à l'heure dite, je suis assis sur le rebord de la fontaine, guettant les allées et venues d'une foule encore animée. Le temps passe sans que mon ami ne se manifeste. J'attends ainsi plus d'une heure, pensant que sa Wendy l'a peut-être invité à prolonger la soirée chez elle et, un peu dépité, je me décide à rentrer. Dans notre chambre, vaguement coupable, je tente scrupuleusement de rester éveillé, attentif aux bruits qui pourraient me signaler le retour de mon ami, mais le sommeil est le plus fort. Je suis réveillé au petit jour par un Mando furieux, épuisé, qui me dit, la voix blanche de colère, m'avoir attendu toute la nuit au rendez-vous fixé. Je proteste, mais la vérité nous apparaît après le petit déjeuner quand nous nous rendons sur la place. Le malentendu est aussitôt dissipé : les lieux présentent une gémellité parfaite, deux fontaines symétriques y trônent, séparées par des bosquets et par une pelouse fleurie, de chaque côté d'un boulevard qui remonte vers le centre-ville. Chacun a attendu l'autre au bord d'une fontaine différente !

Nous voilà rassurés, à ceci près que mon ami m'a attendu toute une nuit alors que je me suis lassé au bout d'une heure. Mando ne fait cependant aucune allusion à cette nuance d'importance, sans doute parce qu'elle fait pencher trop lourdement de son côté la balance de notre amitié.

De cet épisode, comme de bien d'autres entailles, son journal ne livrera rien. Ces blancs ne sont pas le fait d'une censure : ce qui n'y est pas relaté n'a tout simplement pas existé pour lui. Le récit du séjour en Angleterre exalte au contraire l'adéquation parfaite de nos pensées, nos joies partagées, la virée à Londres où nous avons fait l'emplette de deux shetlands de la même couleur, dont seule différait la taille, chez W.Y. Bill, Bond Street, les petits larcins sans importance commis pour le seul frisson de l'interdit dans les boutiques de confiseries et les promenades sous la pluie battante. Pas un mot sur l'affaire du Parc, où mes explications embarrassées n'avaient pu masquer ma trahison. Pas un mot non plus sur l'épisode de la colonie de vacances, mon abandon le plus évident.

Obstinément, Mando restera fidèle à sa ligne, tentant de maintenir le mythe de l'âme sœur avec un aveuglement qui me serrera le cœur lorsque j'aurai enfin accès à ses cahiers. Pas une ombre n'y plane, tout au moins jusqu'à l'épisode de notre rupture, avec sa phrase sèche comme un constat de décès.

Le parc Monceau était lié à notre enfance, désormais c'était le Père-Lachaise qui devenait notre but de promenade préféré, loin devant les autres jardins de la capitale. Mando et moi y suivions un parcours précis avec, pour première halte, la tombe d'Oscar Wilde dont *Le Portrait de Dorian Gray* comblait notre goût pour les récits fantastiques : dans quel état allions-nous retrouver les organes génitaux de la créature ailée couvant le monument ? Cette question était devenue un enjeu entre nous. Régulièrement un vandale l'émasculait, outré sans doute par la réponse sans équivoque qu'elle apportait à la question sur le sexe des anges et retentissait alors le cri de victoire de Mando, gagnant sa place de cinéma :

« Il ne les a plus ! C'est toi qui passes à la caisse ! »

J'enrage : un coup de burin a encore fait sauter les attributs pourtant si bien en place la semaine précédente. Parfois je soupçonne Mando de s'introduire la nuit dans le cimetière pour procéder lui-même à la castration. Puis nous nous dirigeons vers la tombe de Raymond Roussel dont nous avons dévoré – séduits par le titre qui promettait une réponse à nos interrogations de créateurs – *Comment j'ai écrit certains de mes livres*. Perplexes depuis que nous avons lu, dans un *Guide du Paris Mystérieux*, qu'elle est construite sur le modèle d'un échiquier, nous imaginons le cercueil de l'écrivain glissant dans l'obscurité de case en case, aussi insaisissable que son œuvre. Vient l'arrêt obligé devant la dernière demeure de Victor Noir, son gisant de bronze allongé sur le sol comme au jour de son assassinat, offrant aux regards une braguette proéminente. Polie, lustrée par d'innombrables attouchements, elle rayonne, tranchant sur le vert-de-gris de la redingote, avec sa réputation de guérir la stérilité. Mando et moi imaginons les sabbats nocturnes : femmes en transes, jupes relevées et œil révulsé, ahanant à califourchon sur la statue du journaliste.

Loin des allées principales une jeune femme nue love contre une stèle son corps tout en courbes abandonnées, ses longs cheveux en cascade de chaque côté de la pierre tombale. A l'abri des regards indiscrets nous lui rendons hommage, laissant courir nos doigts sur les délicates fesses de marbre, refermant nos paumes sur les seins glacés. La belle disparue que nous honorons de nos mains fiévreuses s'appelle Berthe Flanchet (1813-1842). C'est la jeune morte elle-même, nous voulons le croire, qui a servi de modèle à la statue ornant son monument.

Plus loin, sous un bouquet de marronniers, la modeste tombe des frères Héon nous inspire :

Maurice Héon 3/11/1890 – 2/10/1915
Marcel Héon 3/11/1890 – 3/10/1915
Morts pour la France

Nous nous sommes forgé une conviction sur le destin tragique des jumeaux Héon à la lecture des dates gravées dans la pierre. Adieu aux épouses, baisers aux enfants, course éperdue, main tendue vers la fenêtre du train qui s'éloigne. Missives et mots d'amour, dernières nouvelles du front, « Ne t'inquiète pas Mathilde, mon frère veille sur moi, il ne peut rien nous arriver ». Maurice frappé de plein fouet par une balle allemande lors d'un assaut et Marcel désespéré, qui s'offre dès le lendemain à la mitraille, surgissant de sa tranchée bras en croix, face à l'ennemi. C'est une émotion jumelle que nous cultivons, Mando et moi, face aux dates si proches, témoignage d'amour de ces deux inséparables.

Alors qu'une fois de plus nous rendions visite à nos défunts préférés, Mando s'est arrêté entre deux haies de tombes et m'a posé une question : malgré notre douleur, tenions-nous vraiment à ce que reviennent nos chers disparus ?

Il n'attendit pas ma réponse. Non, ajouta-t-il, le retour de l'être aimé ne provoquerait pas une explosion de joie, il suffisait de penser à la panique qui saisirait l'assemblée des pleureuses, la terreur qui s'emparerait de la famille effondrée si le défunt tant regretté, étendu sur sa couche, celui dont chacun souhaite de toute son âme qu'il revienne à la vie, ouvrait un œil vitreux ou tendait subitement un bras.

Mon ami, plus sérieux que jamais, poursuivit : si les cimetières fermaient de si lourds portails à la nuit tombée, était-ce pour empêcher les visiteurs de s'y aventurer ou les morts de s'en échapper ?

C'était tout à fait de lui, ce genre de remarque, j'y reconnaissais son goût pour le paradoxe. Même Orphée, a-t-il ajouté, n'a pu supporter le retour de sa bien-aimée, lui, l'amant inconsolable qui a fait en sorte de la réexpédier aux enfers, après que lui fut offerte la possibilité de la retrouver. Il m'adressa un clin d'œil, sachant que je commençais à m'intéresser à la psychanalyse : ce n'est pas son impatience qui a amené Orphée à se retourner vers Eurydice malgré la mise en garde d'Hadès, mais son désir inconscient de la maintenir au rang des morts. Cette légende est tout simplement l'illustration d'un extraordinaire acte manqué, a-t-il conclu dans un sourire.

Mando n'aurait jamais fini de réécrire les grands mythes.

Dans le columbarium, les jours d'été, soufflait la brise la plus fraîche de la capitale. Noms et dates défilaient devant nos yeux, sur les murs tapissés de cases semblables à des consignes de gare. Si ailleurs on pouvait encore se figurer les morts desséchés sous les lourdes couvertures des tombeaux, ici, poignées de cendres, ils se réduisaient à leurs initiales. Sous les hautes cheminées qui crachaient leur panache nous déambulions, mains dans le dos, philosophant entre les murs pavés d'inscriptions, sensibles à la légère vibration du sol, à l'écoute du rugissement étouffé des fours.

Des années plus tard, c'est dans la gueule de l'un de ces fours que le cercueil de Gaby serait léché par les flammes. Son corps se réduirait à ce petit tas de pierres grises, moulu fin pour être répandu en nuage par un employé des pompes funèbres, dans le Jardin du Souvenir. Gaby, ma morte des bridges maternels, qui partageait avec moi ses petits-fours en attendant l'appel de ses partenaires. Morte pour de bon, cette complicité qui avait pris naissance sur le tapis de ma chambre d'enfant et n'avait jamais cessé de nous unir. Finies nos nuits cartes en main dans une atmosphère de tripot, face à la lueur bleutée d'un téléviseur, nos courses dans un Montparnasse dont elle avait fait son village, cliente fidèle de tant de librairies, membre de tant de cercles de jeu. Finies nos soirées après le cinéma, dans ces restaurants où elle tutoyait les serveurs qu'elle croyait connaître par leur prénom, et qu'elle harcelait tout au long du repas :

« Henri, qu'est-ce qui se passe ce soir ? Nous sommes là depuis une demi-heure et nous n'avons même pas la carte ! »

« Moi c'est Robert, madame Gaby, et vous êtes arrivée depuis cinq minutes à peine ! »

« Tu ne m'as pas apporté de coudes, Henri ! »

« Oui, tout de suite ! » Il sait ce qu'elle entend par là et lui apporte une corbeille de pain remplie exclusivement de croûtons, résigné à s'appeler Henri toute la soirée.

« Tu peux me donner tout de suite mes trois cafés en ligne ? Tu sais que je les bois froids ! »

« Tout de suite, madame Gaby ! »

« Merci, mon Henri. Il est gentil Henri, n'est-ce pas Loup ? »

Elle me prend à témoin – il m'a fallu des années pour que me passe l'envie de disparaître sous la table –, maintenant je sais qu'elle peut tout se permettre. Jamais de tension ni d'esclandre : Gaby est une figure de Montparnasse. Du temps de leur splendeur elle a fréquenté le Dôme, la Coupole, le Select et la Palette, où son portrait orne l'arrière du bar, en compagnie d'une trentaine de clients célèbres. Ça lui donne des droits.

De cette relation Mando se montre férocement jaloux, au point que je me surprends à me justifier, ou même à lui taire certains de mes rendez-vous hebdomadaires. Sans conviction, je lui ai parfois proposé de se joindre à nous, Gaby se montrant curieuse de rencontrer celui qui a tout partagé avec moi depuis l'enfance. A chaque fois il a refusé, manifestement rebuté par le portrait que je lui ai brossé de ma vieille amie. « Un tel amour de la vie chez une personne de cet âge, ça a quelque chose d'indécent », a-t-il ironisé.

Plus les années passent, plus il se demande quel plaisir je peux trouver à ces soirées, il devient grinçant, me dépeignant comme la dame de compagnie ou le bâton de vieillesse de Gaby. Un jour même il a cette phrase étrange, dont je ne comprendrai le sens que beaucoup plus tard :

« Elle ne tiendrait pas debout sans toi, ta vieille amie ? »

De toute façon il se trompe, Gaby n'a nul besoin de mon bras, au contraire : il n'est pas facile de la suivre, ses camarades de jeu y ont renoncé depuis longtemps, arthrite oblige. Sur le boulevard comme dans la vie, sa démarche urgente sème son monde. Elle file à un rythme qui bouleverse le temps, je peux l'appeler à toute heure de la nuit, ce dont je ne me prive pas alors même qu'elle a atteint un âge respectable : c'est une femme qui ne dort jamais. Les fenêtres de son appartement qui domine les jardins de l'Observatoire veillent en permanence et lorsqu'il m'arrive de passer dans le quartier au petit matin, après une fête, je lève toujours les yeux vers son balcon illuminé. Je souris à cette image qui me rassure : tandis que Montparnasse sommeille, Gaby lave son petit linge à la main, avant de s'installer à sa table de bridge devant une réussite.

La tombe d'Allan Kardec, dolmen majestueux croulant sous une avalanche de fleurs, était fréquentée par les adeptes du spiritisme qui y échangeaient leurs expériences. Nous lui réservions la fin de notre après-midi. Mando, aimanté par les conspirateurs qui l'entouraient, s'approchait d'eux dans l'espoir de saisir leurs invocations ou d'apprendre la nouvelle adresse d'un lieu où soufflaient les esprits. C'est là que nous avons récolté nos premières invitations à ces soirées qui passionnaient tant Mando et dont nous revenions à chaque fois bredouilles.

Des années plus tard, après le drame, j'y suis retourné, par fidélité à l'intérêt de mon ami pour les tentatives de communication avec l'au-delà.

Une séance se tenait chaque samedi, près de ce Père-Lachaise où nous avions trompé notre ennui en compagnie des défunts. On pénétrait dans les lieux – une salle de classe mise à disposition par un directeur d'école, médium à ses heures – comme dans une église. Notre hôte s'installait au bureau et l'assistance, après avoir déposé devant lui des photos de disparus, se rangeait sagement derrière les pupitres. J'y ai laissé en gage une image où l'on nous voyait, Mando et moi, souriant face à un miroir, ce que j'ai aussitôt regretté. Je n'ai pas tenté de la récupérer, mais j'ai très vite saisi qu'elle représentait peu de risque.

L'âge moyen du public expliquait sans peine son intérêt pour l'au-delà, auquel il était promis sous peu. Le lieu, avec son poêle au milieu de la pièce, manquait désespérément de mystère. Tout comme le médium, semblable à un employé du Crédit Municipal, avec ses petites moustaches soignées et son gilet tricoté main sous un veston étriqué. Mais nous étions réunis pour communier avec ceux qui nous avaient quittés et c'est aux bons offices de cet homme-là qu'il fallait nous en remettre. Mon sourire ironique masquait cependant un zeste d'inquiétude, la crainte de je ne sais quel message révélant à cette assemblée de retraités un pan honteux de mon histoire.

« Je voudrais publiquement remercier notre médium, qui m'a été d'un très grand secours après la mort de mon mari et qui, je dois le dire, m'a vraiment sauvé la vie. »

Tous les regards se tournent vers la longue silhouette en noir. Une statue de la désolation, au visage de craie, qui prend une grande inspiration avant de poursuivre :

« René tenait à être incinéré. J'ai respecté sa volonté et j'ai commandé une urne pour recueillir ses chères cendres. Mon mari aimait beaucoup la lecture, alors cette urne, en forme de livre, je l'ai installée sur ma table de nuit, afin de pouvoir lui parler avant de m'endormir. »

Un mari lecteur transformé en livre de chevet. Voilà qui commence bien.

« J'ai voulu continuer à tout partager avec lui après sa disparition, aussi, chaque jour, quand je partais pour ma tournée dans le taxi, René était du voyage : je déposais l'urne sur le siège avant, à côté de moi… »

Je me surprends à penser : « A la place du mort ».

« … et je lui décrivais les rues que j'empruntais, les nouvelles constructions, les lieux que nous aimions. Mais, il y a un an, les ennuis ont commencé, des coups contre les murs, des objets qui se déplaçaient. Les meubles dansaient dans ma chambre, à tel point qu'une nuit l'urne est tombée de la table, le livre s'est ouvert et les cendres de mon René se sont répandues sur la descente de lit ! »

« Alors ? » s'inquiète le médium.

« Mon Dieu ! Je me suis sentie si coupable ! Mais comment procéder autrement ? Qu'auriez-vous fait à ma place ? »

Dans la salle la tension est palpable, le silence épais. Je laisse errer mon regard sur l'assistance : des femmes en turban, l'œil souligné d'un trait sombre étiré jusqu'aux tempes, des vieillards dont les boucles grises tombent en cascade sur les épaules.

« Je me suis servie – sa voix se brise de nouveau – de mon aspirateur. J'ai mis un sac propre et j'ai récupéré René. »

Des sanglots agitent les épaules de la veuve, pendant qu'un silence consterné accueille son témoignage. Je me demande à qui je vais bien pouvoir raconter ça.

« Mon pauvre René, pouvez-vous imaginer ce que j'ai ressenti à l'aspirer comme ça ! Peu après je me suis sentie tomber malade, je ne mangeais plus, mes forces me quittaient, alors j'ai consulté notre médium qui a aussitôt suspecté l'œuvre de quelque force occulte. Les malaises les plus forts se produisant lorsque j'étais au lit, il m'a conseillé d'inciser la toile de mon matelas afin de vérifier si quelque objet malfaisant ne s'y cachait pas. C'est ce qui m'a sauvé la vie : en effet, au milieu de la laine, j'ai découvert un petit nodule de bois, un cercueil en formation ! Sans l'intervention de notre médium j'étais morte, l'esprit de mon mari nous voulait inséparables ! »

L'homme au gilet tricoté main invite la femme en noir à se rasseoir :

« Voilà qui nous confirme dans l'extrême vigilance que nous devons sans cesse manifester. Cet avis de prudence je vous l'adresse à tous : ces petits nodules qui se développent dans l'épaisseur de vos matelas, laissez-les arriver à maturation et il sera trop tard ! »

Je me promets une vérification en règle de ma literie. Le médium allonge les bras sur son bureau, respire comme un yogi et commence les invocations.

Ma photo ne sera pas élue, elle ne sera pas l'occasion de révélations sur mon passé, de l'étalage au grand jour du catalogue de mes manquements.

Deux ou trois veuves sont ainsi interpellées par leur conjoint pour des recommandations testamentaires. Conseils post mortem sur la place d'un meuble, la délimitation d'une clôture, la conduite à tenir auprès de descendants ingrats lorsqu'il n'y a pas eu donation entre époux. Après quelques évocations saisissantes, le bain glacé d'un enfant mort dans les fièvres, la décollation d'un condamné à mort, la séance se termine par une transe du directeur d'école avec évocation de foules asiatiques déferlantes, d'étendards nazis en surimpression sur le continent européen, images qui ne manquent pas de produire leur petit effet sur les angoisses latentes de l'assemblée. A la sortie, une urne de carton sollicite notre générosité en faveur de l'Association des Spirites Parisiens, l'A.S.P.

Quand les choses ont commencé à se gâter, Gaby a tenté d'ignorer les premières trahisons de son corps. Elle continuait de sillonner Paris, de courir bars et asiles de noctambules, agitée par d'inextinguibles quintes de toux, le souffle court mais toujours la cigarette aux lèvres.

Une première attaque à la sortie d'un club de bridge la conduisit directement à Cochin, inconsciente. Sitôt revenue à elle, elle me fit appeler. Lorsque j'arrivai je la trouvai étendue sur son lit, refusant catégoriquement de se glisser sous les draps de l'Assistance Publique. Elle avait revêtu un peignoir de soie et trônait dans sa chambre, un oreiller calé dans le dos, un autre sous les pieds, grignotant des chocolats.

« Loup, mon chéri, comme c'est gentil d'être venu ! Tu as déjeuné ? »

Sans réfléchir aux conséquences, je lui répondis que je n'en avais pas eu le temps. Avant que je puisse faire un geste elle sonna l'infirmière :

« Suzanne, soyez assez aimable d'apporter un en-cas à ce jeune homme ! »

Je devançai les explications de la jeune femme embarrassée (qui ne s'appelait probablement pas Suzanne) et tentai de faire comprendre à Gaby qu'elle ne se trouvait pas dans un palace. Le forfait journalier dont elle allait s'acquitter ne lui permettait pas de régaler ses invités, je lui affirmai qu'il nous faudrait attendre qu'elle soit sur pied pour reprendre nos agapes dans les bistrots parnassiens. Gaby accepta de bonne grâce cette limitation mais demanda aussitôt à signer une décharge afin de sortir au plus vite de ce lieu qu'elle qualifia d'« inhospitalier ». Pendant que je la raccompagnais chez elle en taxi, elle tenta de plaisanter, me demanda quel film policier il fallait voir, insistant pour que nous fassions une halte dans l'un de ses restaurants habituels, mais je la sentais à bout de forces. Je compris que j'allais perdre ma chère vieille amie, elle en était consciente elle aussi et sitôt allongée sur son lit elle me demanda de lui jurer de ne pas la laisser repartir à l'hôpital, quoi qu'il arrive. Elle voulait mourir chez elle, dans son appartement surchauffé, au milieu de sa collection de jeux de cartes et de volumes de la Série Noire. En ma compagnie.

Ce qu'elle désirait surtout, et elle insista sur ce point, c'est que je tienne sa main lorsqu'elle rendrait son dernier soupir : elle voulait pouvoir serrer la mienne quand elle contemplerait le visage de la mort. Je nous ai revus main dans la main, blottis l'un contre l'autre, chaque semaine, dans l'obscurité de l'une des salles du boulevard Montparnasse et je lui en ai fait le serment, je lui devais bien ça.

J'ai tenu parole, à un détail près. C'était, hélas, celui auquel elle tenait le plus.

Après le lycée, nous avons pour la première fois emprunté des chemins différents. Le droit et la politique tentaient Mando, tandis que ma découverte de la psychanalyse me dirigeait vers les sciences humaines. Inquiets de cet éloignement, nous nous sommes efforcés de continuer à tout partager : les disques qui accompagneraient nos soirées et, dans nos bibliothèques, les livres dont nous lirions à haute voix les passages marquants. Nous constations, heureux et rassurés, que nous détenions désormais deux explications complémentaires du monde. Nous étions donc toujours en phase. Loin de la métaphysique et des tentatives spirites, Marx et Freud allaient déloger Kardec et Pauwels de notre panthéon, mais nos pensées demeureraient jumelles.

C'est à cette époque que Mando a rencontré celle qui serait la femme de sa vie, disait-il. Depuis des semaines il m'en parlait avec passion, il allait enfin me la présenter. C'était l'histoire la plus sérieuse qu'il ait connue, loin devant le peloton des filles qui avaient croisé son chemin. Il l'avait rencontrée dans la file d'attente d'un cinéma où l'on donnait *Huit et demi*, son film préféré, et m'avait vanté son physique, son intelligence et surtout – ce qui avait achevé de le séduire – sa passion pour le cinéma de Fellini.

Arrivée chez moi, cette beauté nordique m'a tendu une main distante alors que je me penchais pour l'embrasser, ce qui n'a pas échappé à mon ami. Nous avons tenté de faire connaissance dans ma chambre, nous avons un peu fumé, écouté de la musique, échangé nos points de vue sur le cinéma, la littérature. Mais elle s'est montrée inatteignable, je n'ai pu capter son regard et ai choisi d'attribuer sa froideur à une probable timidité. Très vite elle a montré des signes d'impatience, consulté sa montre et demandé à Mando de la raccompagner : elle ne voulait pas rater le train qui allait la ramener chez elle. Au moment où ils ont pris congé, j'ai lu une sorte de désespoir dans le regard de mon ami. Déçu par cette rencontre dont j'attendais beaucoup, je suis resté assis un long moment sur mon lit, me demandant comment Mando allait consigner cet épisode dans son journal.

Une heure plus tard Mando sonnait à ma porte, seul cette fois. Il m'expliqua qu'il avait envoyé balader la belle après qu'elle lui avait avoué que l'horaire de son train était un prétexte pour se retrouver seule avec lui. A cette occasion encore la force de l'amitié de Mando m'avait effrayé : devant le peu de cas que la fille avait fait de moi, il n'avait pas hésité, il lui avait signifié son congé. Beauté, intelligence, Fellini, tout cela ne pesait plus pour rien dans la balance, celle qui allait bouleverser sa vie avait cessé d'exister pour lui au moment même où elle m'avait écarté.

Des comités étudiants se réunissaient, les assemblées générales devenaient quotidiennes, une tension perceptible parcourait les gradins des facultés. Mando ne manquait pas une A.G., il distribuait des tracts, organisait des piquets de grève. Il insistait pour que je l'accompagne mais je jouais les observateurs, à bonne distance comme à mon habitude et mon ami me reprochait la tiédeur de mon engagement. Exalté, il m'annonçait que l'histoire de notre pays prenait un tournant décisif.

C'est alors que j'ai assisté pour la première fois à une conférence du Professeur dont le nom était prononcé avec respect dans les couloirs de la faculté. Je me suis rendu à Vincennes dans les débuts de la tourmente.

L'atmosphère était électrique, dans l'amphithéâtre bondé les étudiants attendaient avec impatience celui qu'ils considéraient comme un mandarin et dont ils pensaient ne faire qu'une bouchée.

Il apparut enfin, crinière grise et lunettes cerclées de métal, arborant une chemise à col Mao sous un étonnant costume dont la laine hirsute créait dans la lumière un halo de poils fins. Légèrement goguenard, un cigare coudé au bout des doigts, l'œil frisant par-dessus ses lunettes, il contempla longuement l'assemblée. Des exclamations familières le saluèrent et certains, parmi les plus virulents, l'exhortèrent aussitôt à se situer politiquement. Nullement impressionné par leur véhémence, toujours souriant et hochant la tête il leur lança : « Vous cherchez un maître, vous l'aurez ! » Je m'attendis au pire, sachant quelle poudrière représentait une telle assemblée, mais cette phrase imposa d'emblée le calme. Devant ces visages médusés et l'attention soutenue que l'intervention du Professeur avait provoquée j'eus la révélation de ce que pouvait être une véritable interprétation de psychanalyste, moi l'étudiant de première année pour qui cette science relevait encore de l'énigme. Un gaillard plus audacieux – ou plus sourd – que les autres commença à se déshabiller par provocation, mais son courage l'abandonna dès que furent tombés son pull et sa chemise. Le Professeur ne le rata pas : « Dites-moi, jeune homme, je suis allé hier soir au Living Théâtre, ils allaient jusqu'au bout, eux, ils étaient, si je puis me permettre, autrement plus culottés que vous ! » Il avait gagné, la salle éclata de rire, les applaudissements crépitèrent puis le silence se fit, en attendant qu'il parle. Il commença, marquant des pauses, inventant sous nos yeux un discours nouveau, développant devant nous sa pensée en marche. Aucun enseignement ne m'avait jusqu'alors bouleversé à ce point, mes certitudes vacillaient et ce discours, dont je ne saisissais que des bribes, me frappa de plein fouet.

A la sortie, je fis la connaissance d'un groupe d'étudiants. Saisis comme moi par ce qu'ils venaient d'entendre, ils me proposèrent de me joindre à eux pour constituer un groupe de réflexion. En stage à l'hôpital

Sainte-Anne, ils travaillaient sur la psychose. Nous nous réunirions, le plus souvent possible, pour étudier et discuter les textes du Professeur. J'acceptai, enthousiaste.

Le soir même, je tentai de faire partager mon expérience à Mando et lui parlai de ce projet de travail mais je le sentis réticent, presque hostile. Comme à chaque fois qu'il manifestait son désaccord, son ironie s'exerça et lorsque je lui expliquai que j'avais eu l'impression d'un passage, d'une traversée du savoir, il rit et qualifia le Professeur de « psychopompe ». Comme je lui demandais la signification de ce terme, il me reprocha d'avoir oublié l'essentiel de ma formation classique. Qu'étaient donc devenues mes connaissances en mythologie ? Le psychopompe était celui qui nous conduisait sur l'autre rive, Charon, le Nautonier, le passeur, le meneur d'âmes. Sur l'instant, sa remarque m'amusa : « Professeur Psychopompe », ça ne sonnait pas si mal.

Mando insistait pour que je participe avec lui à des comités étudiants et je lui annonçai mon engagement ailleurs, avec d'autres et sur un autre projet. J'oubliais plusieurs de nos rendez-vous pour me rendre à ces rencontres, enivré par cette découverte et par les nouvelles amitiés qui se tissaient autour de l'enseignement du Professeur.

Bien sûr j'ai d'abord essayé de l'y emmener, de lui faire partager cette excitation, mais il résistait, fermement. Une phrase troublante mit fin à mes tentatives :

« Je n'ai pas ton désir de Savoir. Tu aurais envie, à ma place, de voir les organes sous la peau des filles avec qui tu sors ? »

L'étrangeté de sa formule me révélait un Mando insoupçonné. Comment aurais-je pu pressentir une telle peur en lui ? Ainsi donc il résistait à cette aspiration, s'épuisait à ne pas démasquer un squelette sous un sourire, une orbite vide sous un œil maquillé ? Comment aurais-je pu imaginer mon ami assailli par des visions d'horreur, éviscérations, membres disloqués venant se superposer aux silhouettes en robe d'été ? Je n'ai rien vu, peut-être n'ai-je rien voulu voir, pour rester dans l'illusion de notre complémentarité alors que je commençais à m'éloigner de lui, qui n'était dupe de rien.

Des années auparavant, j'aurais pu être alerté par ses dessins, alors qu'ils m'avaient simplement ébloui. Le crayon précis de Mando avait établi un inventaire de fantômes : ombre de Quasimodo suspendue au bourdon de Notre-Dame, masque de cuir de Belphégor flottant dans les galeries du Louvre et spectre d'Erik, errant dans les passages secrets du palais Garnier. Il avait ajouté à son carnet de dessins la silhouette décharnée de l'Empereur, soulevant le marbre de son sarcophage, un vampire né d'un accouplement de gargouilles sur la tour Saint-Jacques, une sangsue à tête de Méduse collée à l'une des piles du Pont-Neuf, un squelette d'acier agrippé aux poutrelles de la tour Eiffel, sans oublier les corps faméliques des rois de France, balayant de leur hermine en lambeaux les dalles de la basilique Saint-Denis.

Dans chacun de ces lieux que nous avions visités, Mando n'avait vu que des morts.

L'intérêt que j'éprouvais pour l'enseignement du Professeur Psychopompe s'était transformé en passion. Notre troupe enthousiaste se précipitait aux séminaires de ce nouveau maître où, éblouis par une telle proximité, nous nous retrouvions au coude à coude avec l'intelligentsia parisienne. Si nous ne comprenions que très peu du discours qui s'inventait devant nous, de temps à autre une formule nous sidérait, qui bousculait nos idées reçues et ouvrait sur une vérité inaperçue.

Nullement rebuté par les obscurités des Écrits du Professeur je travaillais tard dans la nuit pour en déchiffrer les énigmes. Cela ne me suffisait pas, je voulais en apprendre davantage sur sa pratique et assister à ses présentations de malades. Mes nouveaux amis m'invitèrent à les accompagner à ce rituel hebdomadaire, après m'en avoir expliqué le fonctionnement : un interne proposait au Professeur le cas d'un patient avec lequel il allait s'entretenir en public, pour cerner la nature de sa pathologie et en souligner les traits caractéristiques. Une fois le patient raccompagné dans son service, le Professeur se prononcerait sur le diagnostic et échangerait ses impressions avec l'auditoire.

Ce jour-là, nous arrivons parmi les premiers dans la salle de l'hôpital Sainte-Anne, réservée à ces rencontres. Impressionnés, nous nous installons dans les rangs du fond. Le lieu va peu à peu se remplir de psychiatres, de psychanalystes en formation et d'étudiants qui, comme nous, veulent voir le Professeur à l'œuvre. La salle résonne d'un brouhaha de conversations, de salutations, dont je tente de saisir des bribes, cherchant à reconnaître dans l'assemblée quelques visages connus, parmi les fidèles du maître. Soudain la rumeur se tait, au moment où s'ouvre la porte sur un groupe de médecins, au milieu duquel le Professeur, un manteau jeté sur les épaules, s'avance en compagnie d'un jeune patient, longiligne et pâle. Leur conversation est commencée, le Professeur parle avec le jeune homme comme si tous deux devisaient tranquillement dans les allées d'un jardin public. On ne peut entendre ce qu'ils se disent, mais je suis une fois de plus saisi par les yeux du Professeur : derrière ses lunettes cerclées de métal, impérieux, inquisiteurs, ils plongent dans ceux du patient qui marche à son côté.

Tous deux parviennent à l'estrade où ils s'installent, pendant que les médecins qui les entouraient viennent s'asseoir au premier rang. Mes amis et moi sommes trop éloignés pour comprendre ce qui se dit, d'autant que le Professeur ne fait aucun effort pour hausser la voix. Je l'entends cependant remercier le patient d'avoir bien voulu se prêter à l'exercice pendant que son regard aigu parcourt l'assistance, accompagnant cette inspection d'un léger hochement de tête entendu.

L'entretien dure plus d'une heure, le jeune homme répond posément aux questions du Professeur, il lui explique ses conflits avec son entourage, argumente d'une voix mesurée. Je me demande bien où pourrait se nicher une pathologie dans ce discours logique, sans trace d'incohérence. Le Professeur semble à l'affût, il cherche quelque chose qu'il n'a pas encore découvert. Il se fait insistant, ses questions deviennent plus pressantes, ponctuées de « Quoi ? », ou de « Comment ? », prononcés d'une voix soudain si puissante qu'on pourrait le penser choqué par ce qu'il vient d'entendre.

Tout à coup, alors que la conversation touche à son terme, le patient lâche un mot, que nous percevons à peine mais qui fait tressaillir le Professeur. Rejetant son buste en arrière, à la manière d'un pêcheur qui vient de faire une prise, il lance : « Qu'est-ce que vous avez dit ? » Le jeune homme pâle répète, un peu plus haut : « créaturer », manifestement étonné que ce mot qui lui a échappé puisse provoquer à ce point l'intérêt de son interlocuteur. Le Professeur regarde l'auditoire, un mince sourire aux lèvres, puis il remercie le patient avant de mettre fin à l'entretien.

Un peu plus tard, au cours de la discussion avec l'un des internes qui met en doute le diagnostic de psychose chez ce patient, le Professeur nous expliquera que le terme de *créaturer*, néologisme n'appartenant qu'à ce sujet, faisant irruption à la manière d'un coup de feu dans un discours parfaitement logique et organisé, signe la présence d'un délire, soigneusement caché jusque-là chez le jeune homme.

Comment un simple mot, débusqué par le Professeur, avait-il pu révéler la présence d'une telle pathologie chez son interlocuteur ? Je suis sorti de cette présentation avec le sentiment d'avoir encore beaucoup à apprendre : la folie, celle que je pensais connaître jusqu'alors, caricaturale dans ses délires tonitruants, n'apparaîtrait donc pas toujours au premier regard ? J'ai repensé à la longue silhouette et à la pâleur du jeune homme dont la conversation ne m'avait rien évoqué d'anormal. Un désordre mental aussi profond pouvait donc passer inaperçu ?

Durant des années je m'étais efforcé de me conformer à l'image que Mando se faisait de moi. J'avais parfois le sentiment que son existence en dépendait et je tentais de maintenir cette image inaltérable. Mais plus le temps passait et plus je m'épuisais. Je savais que je m'éloignais de lui. Qu'en était-il de son côté ? Peut-être ressentait-il ce déchirement comme un coup de scalpel, celui du chirurgien entre les poitrines de deux siamois. Parfois seul l'un des inséparables survivait, coupable pour toujours de devoir sa liberté à la disparition de l'autre.

Que nous est-il arrivé ? Mando ne m'a pas suivi quand j'ai emboîté le pas aux disciples du Professeur et j'ai alors espacé nos rencontres rituelles. Je me suis donné de bonnes raisons : la vérité vers laquelle je me dirigeais, il la refusait. Ainsi pouvais-je lui faire porter sa part de responsabilité dans notre éloignement. Nous avions tant partagé : jeux, lectures, premières expériences amoureuses, mais il me fallait échapper à l'exigence de cette amitié, de plus en plus tyrannique. Son index pointé sur les faiblesses du monde, son intransigeance même, me faisaient prendre la fuite et c'est le nouvel horizon, ouvert par l'enseignement du Professeur Psychopompe, qui m'en offrait l'opportunité. L'habit de l'ami idéal avait fini par me gêner aux entournures. Moi, le seul pour Nine, pour Gaby, moi qui avais bataillé à ma façon pour conserver cette place dans leur cœur, voilà qu'il m'était devenu insupportable d'être le seul pour Mando.

Je lui accordais de temps à autre une séance de cinéma, une balade au Père-Lachaise en hommage à nos morts favoris, je lui mesurais mon temps, conscient qu'il ne pourrait se satisfaire de cette parcimonie. Pourtant je me suis entêté dans cette voie. Mando et moi butions sur un même mur de silence, nous qui autrefois nous disions tout.

Un jour enfin, alors qu'une fois de plus je déclinais l'une de ses invitations pour me rendre à un séminaire, il m'a raccroché au nez, la voix blanche : « Amuse-toi bien et salue le Psychopompe de ma part ! » Le lendemain, j'avais entre les mains cette lettre officielle de rupture.

Froids et administratifs, les mots s'alignaient, mettant un terme à des années d'amitié, m'interdisant tout recours : mes appels téléphoniques seraient sans effet, mes courriers resteraient cachetés. Ni épanchement ni reproche, un avis de résiliation. La gorge sèche, sa lettre entre les mains, je suis retombé brutalement sur terre. J'ai malgré tout saisi le téléphone pour composer son numéro. Enza a décroché, j'ai demandé à parler à Mando. Embarrassée, elle m'a répondu qu'elle allait essayer de le convaincre. Je l'ai entendue parlementer, se faire mon avocate et la voix sèche de son fils, au loin, l'a rembarrée.

« Perdona, Mando ! » a-t-elle lancé, en désespoir de cause. Pour toute réponse une voix s'est éloignée, proférant une injure en italien. J'ai raccroché avant qu'Enza ne revienne.

Il n'y aurait plus d'abonné au numéro que j'avais si souvent composé, Mando ne me pardonnerait jamais de l'avoir obligé à remplir l'un des blancs de son journal avec le récit, cette fois inévitable, de ma trahison. Assis près du téléphone, j'essayais de me faire à cette idée : après toutes ces années, une ombre de trop sur notre amitié allait laisser place à la nuit.

Je me trompais : des mois plus tard j'aurai la surprise d'entendre de nouveau mon ami, mais la voix murmurante qui s'adressera à moi ce jour-là ne sera plus la sienne.

Je cherche un disque dans la collection de Gaby, j'écarte Chopin par Lipatti, *La Bohème*, *Médée* par Callas, la *Sixième* dirigée par Furtwängler, je choisis dans les cantates celle que ma vieille amie déposait le plus souvent sur le plateau de son pick-up. J'ai baissé le son : ainsi, du salon, les voix féminines entremêlées et tressées à l'infini lui parviendront atténuées, comme un choral d'anges.

Au moment où Mando met fin à notre amitié, celle dont il était si jaloux va disparaître, lui laisser entière une place qu'il ne veut plus occuper. Je perds mes deux plus chers amis. Depuis une semaine Gaby ne se lève plus, n'accepte aucune nourriture, boit à peine. Elle est entrée en agonie et je lui accorde tout mon temps, sans avoir à mentir à Mando. J'ai mis entre parenthèses, quoi qu'il m'en coûte, l'enseignement du Professeur Psychopompe pour camper chez elle, dormant quelques heures sur le canapé de son salon. Elle sait que je suis là, comme je lui ai promis, mais elle répond de plus en plus faiblement à la pression de ma main. Elle tousse, secouée par des quintes qui ne franchissent pas ses lèvres, spasmes douloureux qui la font se cabrer, un des rares signes de vie donnés par son corps à l'abandon. Les cartouches de Camel qui ont parfumé sa vie, les flacons de Black and White, les cafetières d'arabica prennent aujourd'hui leur revanche. Régulièrement son bras se lève en un geste vague, puis sa main retombe sur sa poitrine, parfois sur son visage, ses traits n'exprimant plus ni angoisse ni douleur, juste une immense lassitude. Que signifie ce geste inachevé, qu'elle répète obstinément ? Peut-être appelle-t-elle un taxi, demande-t-elle trois cafés en ligne et une corbeille de coudes à un Henri, ou bien encore fait-elle signe au croupier de déposer le jeton de la dernière chance sur le douze, et chevaux.

Autrefois à cette heure, toutes lumières allumées, elle occupait ses insomnies. Sous ses fenêtres la rumeur de la nuit est déchirée par les sirènes des ambulances, par les éclats de voix des noctambules qui sortent de ces bistrots où elle tyrannisait les serveurs. Le front à la fenêtre, je regarde palpiter le cœur de Montparnasse, en attendant que celui de ma vieille amie cesse de battre. Mais elle lutte, retenant depuis des jours son âme dans sa poitrine creuse.

Le médecin, passé cette après-midi, m'a répété que c'était la fin, une question d'heures, de jours peut-être.

« Quand une personne de cet âge ne s'alimente plus, ça ne peut pas durer bien longtemps. »

J'ai refusé l'hospitalisation, comme je le lui avais promis. Je n'ai aucune parole rassurante à lui adresser, elle sait aussi bien que moi que sa mort est imminente. Je l'assure simplement de ma présence. Dès qu'elle entrouvre les yeux et cherche mon regard, je lui murmure qu'elle est chez elle, dans son lit, voguant tranquillement jusqu'à l'enseigne d'un nouveau restaurant, « Au dernier Rivage », à la porte duquel je suis en train de l'accompagner

Epuisé par ces nuits de veille, je veux pouvoir faire face aux jours qu'il me reste peut-être à affronter, rentrer chez moi pour me changer, échapper un moment à cette promiscuité.

Gaby râle maintenant, je perçois le souffle de la mort dans le grognement ininterrompu qui s'échappe de sa gorge, mais aussi l'impatience, l'exaspération, la rage. Je me décide à composer le numéro que le médecin m'a communiqué, celui de l'association A.A.M. (Aide Aux Mourants), afin de demander à une bonne âme de me relayer quelques heures. La personne qui reçoit mon appel s'informe du pronostic médical et m'annonce qu'une des plus sérieuses auxiliaires de l'organisation se rendra au chevet de mon amie dans les meilleurs délais.

Il n'est pas loin de minuit quand on sonne à la porte. J'ouvre à une grande femme blonde vêtue de gris, chignon sévère, petit sac de voyage à la main.

« Je suis madame Silejzky, vous pouvez m'appeler Anna. »

Très souriante elle me tend une main franche, sèche et ferme. Je l'aide à se débarrasser de son manteau et lui propose de déposer son sac dans l'entrée.

« Vous êtes gentil, mais je vais en avoir besoin. Où est la mourante ? »

Sa voix est calme, profonde, avec une pointe d'accent qui s'attarde sur les ***r***. Je la conduis dans la chambre. Nous y sommes accueillis par le geste de Gaby, qui, une fois de plus, commande en vain un café et voit passer sous son nez le seul taxi libre de la soirée. Anna regarde ce bras dressé qui retombe sans fin, ses yeux brillent d'une lueur impénétrable, une sorte d'illumination. Elle laisse son sac sur un fauteuil, se penche aussitôt vers la forme qu'on devine à peine sous les couvertures pour lui déposer un baiser sur le front. Le grognement s'interrompt un instant, je tente d'expliquer à Gaby la présence de la visiteuse, je lui dis que je vais la lui confier un court moment, après quoi je serai là de nouveau, à son chevet. Anna est rayonnante, elle se penche vers la mourante et pose une longue main sur sa joue :

« Ne craignez rien, Anna est là, tout près de vous. »

La sérénité de cette femme m'intrigue, tellement à son affaire avec la mort. Je me hasarde à lui proposer de me rejoindre au salon pour boire quelque chose.

« Volontiers, mais puis-je tout d'abord procéder à quelques préparatifs ? »

Elle sort de son sac deux cierges qu'elle installe dans des bougeoirs figurant des anges agenouillés, puis une icône qu'elle dépose précautionneusement sur la table de chevet. Au moment de me demander du feu, elle s'inquiète :

« J'espère que je ne choque ni vos convictions, ni les siennes par ce geste, mais c'est une aide précieuse pour moi. »

Je la rassure, tout cela n'a vraiment aucune importance, ni pour moi, ni pour Gaby. Elle allume ses cierges et me suit au salon. Je remets le disque à son début et propose à Anna un rafraîchissement, jus d'orange ou eau minérale.

« Je préférerais une vodka, si vous en avez, je suis polonaise, vous savez ! »

Elle a un curieux rire de gorge, un éclair gourmand illumine ses yeux qui s'étirent vers les tempes. Je fouille dans le bar et nous sers généreusement. Au moment de choquer mon verre contre le sien, je me trouve un peu embarrassé pour inventer une formule. Elle me met à l'aise aussitôt :

« A l'Au-delà ! », deuxième rire de gorge.

J'en oublie ma fatigue, moins pressé de m'éclipser je veux en savoir plus sur ce Charon en tailleur gris, qui porte l'or de sa chevelure en torsade, maintenue par une épingle de corne. Elle ne se fait pas prier, se raconte volontiers, me faisant le récit de la vie difficile dans son pays, la mort brutale de sa mère, à ses côtés lorsque, petite fille, elle partageait son lit, son départ de Pologne à la suite d'une déception sentimentale, ses divers emplois d'aide-soignante dans les hôpitaux parisiens la découverte de sa vocation, après avoir aidé plusieurs malades à franchir le pas.

« Mes convictions religieuses sont très solides, vous savez, je me sens investie d'une mission, être l'ange de la mort auprès de ceux qui s'en vont seuls. »

Sa phrase a épousé les inflexions de la cantate, elle l'a chantée de sa voix d'alto. L'Ange de la Mort, voilà qui s'accorde bien à cette beauté slave qui vide son verre à une vitesse stupéfiante. Elle n'en refuse pas un second. Je l'accompagne et très vite, la fatigue aidant, je parle aussi, invité par sa question :

« Qu'était-elle pour vous, au juste ? »

Penchée vers moi, son opulente poitrine effleurant la feutrine verte de la table de bridge, son regard plongeant dans le mien, Anna Silejzky se montre avide de confidences. Le râle de Gaby nous parvient de la chambre, égal et monotone. Anna agite négligemment la main, comme pour faire taire l'agonisante.

« Elle n'a pas besoin de nous pour le moment, rassurez-vous, la Madone veille. »

Ses yeux n'ont pas quitté les miens. « Qu'était-elle pour vous ? » Je lui raconte les après-midi de bridge qui ont rythmé mon enfance, les visites des belles mortes parfumées dans ma chambre, ma rencontre avec

Gaby, les années d'amitié fidèle qui ont suivi, la place privilégiée que j'occupe dans sa vie. Je lui décris les soirées de jeu autour de cette table où nous sommes installés, les films policiers partagés main dans la main, l'inépuisable énergie de mon amie, ses courses sur le boulevard du Montparnasse, les restaurants, la chanson de son enfance qu'elle réservait pour la fin de nos repas :

> *« Et souvent pour dessert*
> *Nous n'avions que des caresses… »*

Elle me sourit tendrement, touchée par la chaleur du portrait que je lui fais de la mourante.

Avec un geste cérémonieux, elle nous ressert un verre. Je ne suis pas accoutumé à ces boissons fortes. Emporté par la ligne mélodique de la cantate je me noie dans le regard vert qui aspire mes souvenirs et soudain, sans prévenir, une vague d'émotion me submerge. Le désir de me laisser aller devant cette inconnue est une sensation nouvelle, électrique, et abandonnant toute pudeur j'offre à Anna un chagrin nu. Elle l'accepte avec le même naturel que celui manifesté devant le spectacle de l'agonie de mon amie.

Alors tout s'accélère. Dans un vertige. Les confidences, le sentiment de renoncer à toutes mes défenses face à une femme que rien ne surprendra. L'épuisement et l'alcool aidant, je pleure comme un enfant. Anna se lève, dans le brouillard de mes larmes je distingue un visage qui s'approche du mien, ourlet des lèvres entrouvert sur une rangée de dents lumineuses. Elle s'empare de ma bouche pour un baiser au brûlant parfum de vodka, sa main me caresse et trouve sans hésiter le chemin de mon désir. Nous chavirons sur le divan du salon sans cesser de nous embrasser, je presse mon corps contre le sien pendant qu'elle murmure dans cette langue inconnue de moi, sur la cantate apaisante de Bach, une mélodie qui coule dans ma gorge comme une liqueur. Sa jupe de lainage se soulève pendant que glisse un rempart de dentelle et je plonge en elle. Tout s'anéantit dans la saveur salée que mes larmes donnent à nos baisers, la rumeur du quartier, le râle obstiné de Gaby, le crachotement régulier du disque arrivé en fin de course.

Combien de temps s'est écoulé depuis que nous avons roulé sur ce divan profond (comme un tombeau) ? Lorsque je reviens à moi, je frémis à l'idée que Gaby puisse avoir choisi ce moment pour rendre l'âme. Je tends l'oreille, me relève en me rajustant à la hâte. Anna, de retour de la chambre, a déjà retrouvé son apparence austère, son chignon n'a pas bougé, l'épingle de corne est en place, son tailleur gris n'est pas froissé. Au moment où je vais balbutier quelques banalités, elle pose un doigt sur mes lèvres :

« Reposez-vous, ne vous inquiétez de rien, je suis auprès d'elle. »

Je sombre de nouveau dans le sommeil, avec sur mes lèvres le parfum d'Anna, me confirmant la réalité de ce qui vient de se passer, à deux pas du lit où Gaby agonise. M'arrachant à ma torpeur, j'entends du fond de l'appartement la voix de la veilleuse :

« Il faut que vous reveniez, elle ne respire plus. »

Ses *r* roulant comme des cailloux ont sur moi l'effet d'une douche froide, je bondis dans le couloir. Lorsque je pénètre dans la chambre je découvre Anna à genoux, le visage enfoui dans les couvertures, son ombre démesurément étirée par les deux cierges qui se consument. Je saisis la main de Gaby, lourde, abandonnée comme celle d'une poupée de chiffon, j'en embrasse la paume encore tiède. Anna se redresse, le regard brillant :

« Peu de temps après que vous vous étiez rendormi votre amie a ouvert les yeux, elle m'a regardée très longuement puis elle a soupiré et tout s'est éteint, c'était fini. »

Sa phrase me bouleverse. J'imagine Gaby dans ce dernier moment, découvrant à son chevet, dans le décor familier de sa chambre, non pas son vieil ami mais une femme inconnue, souriante, éclairée par la lueur vacillante des cierges. Le visage d'Anna Silejzky, l'Ange de la Mort, penché sur elle et lui tendant les bras. Je n'ai pas été là pour recueillir son dernier regard, je n'ai pas offert mon sourire à son ultime éclair de lucidité et surtout, surtout je n'ai pas tenu sa main. Il est trop tard, elle sera partie dans une illusion, celle d'avoir soutenu le regard de la mort en personne, dénouant ses longs cheveux pour l'envelopper dans un suaire doré, lui murmurant des mots d'amour dans une langue inconnue.

Anna range bougeoirs et icône dans son sac, elle se dirige vers l'entrée où je l'aide à enfiler son manteau. Je ne lis dans son regard que la détermination de la bénévole de l'A.A.M. Elle lève un doigt :

« Il vous reste deux choses à faire : appeler un médecin afin qu'il constate le décès, et, si vous souhaitez qu'elle attende chez elle sa mise en bière, demander dès demain les services d'un thanatopracteur. Ah ! Autre chose, a-t-elle manifesté des volontés quant à ses obsèques ? »

Gaby souhaitait être incinérée, elle avait même demandé à ce que ses cendres soient ensuite dispersées. Qu'il ne reste rien d'elle : on ne parvenait pas à la suivre de son vivant, elle n'allait pas rester à attendre nos visites sous une dalle de marbre. Je vais chercher dans le bureau le papier signé de sa main.

« Très bien, n'oubliez pas d'appeler *La Flamme Purificatrice*, ils se chargeront de tout. »

Elle fouille dans ses poches et me glisse la carte d'un spécialiste de l'embaumement. Il me vient à l'esprit de lui demander combien je lui dois, mais soudain gêné par l'équivoque de ma question – pour quel service vais-je la rémunérer ? – j'y renonce. C'est elle, toujours naturelle, qui l'aborde :

« Nous avons coutume de demander une obole pour services rendus aux morts et à leurs familles, soyez aimable de faire parvenir votre chèque à l'A.A.M., j'en laisse le montant à votre discrétion. »

Puis, me tendant la même main sèche et ferme qu'à son arrivée, Anna Silejzky disparaît dans la nuit, vêtue de son long manteau gris, son sac de voyage à la main.

L'Ange de la Mort nous a-t-il vraiment rendu visite, sa belle silhouette sanglée dans un tailleur de lainage ? Je retourne dans la chambre de Gaby : comme s'il s'était alourdi, son corps s'est enfoncé dans le matelas, sa main est déjà froide. Me penchant vers elle, je lui murmure quelques mots d'excuse. Je n'ai pas tenu ma promesse, mais, connaissant Gaby, j'essaie de me persuader que cette situation n'aurait pu que l'amuser. Au téléphone, le médecin m'a annoncé qu'il serait là dans une demi-heure, j'en profite pour me resservir une vodka, tant pis si je dois m'effondrer. Les bons soins de madame Silejzky n'ont pas suffi. Je ne supporte pas l'idée d'avoir manqué de si peu le départ de ma chère vieille amie pour le Dernier Rivage.

Le coup de sonnette m'arrache à mes pensées, j'ouvre à une jeune femme brune, cheveux coupés à ras, pantalon et blouson de cuir, un casque de moto sous le bras. Son haleine est parfumée à la Gitane maïs, elle dissimule sa poitrine sous une chemise ample et sa féminité dans une démarche de déménageur. Ce n'est pas le moment d'imaginer de nouvelles ivresses, sa visite ne se conclura pas comme celle d'Anna. Elle ne m'accorde d'ailleurs pas la moindre attention. Je ne bousculerai pas le motard sur le fauteuil de la chambre, pas d'étreintes de cuir, fermons la parenthèse sur Eros, retour à Thanatos. Elle ouvre sa sacoche, sort un miroir qu'elle glisse sous les narines de Gaby, puis un stéthoscope qui confirme son diagnostic. Elle signe le certificat de décès et me demande un linge : il faut en entourer le visage de la morte afin que sa mâchoire ne se décroche pas.

Je revois le cri silencieux de Nine. Et je repense à la curiosité de Mando

« Tu me raconteras ? Je n'ai encore jamais vu de mort. »

J'aurais tant eu besoin de lui faire partager le bouleversement de ces derniers jours. Comment me faire à l'idée de n'avoir plus rien à lui raconter ?

Pauvre Gaby, avec ce foulard étroitement serré, noué au-dessus de sa tête ! J'espère qu'elle ne se voit pas comme ça.

« Voilà, c'est fait, elle ne bougera plus. »

Je comprends ce que veut dire le praticien en tenue de moto, aussi je me retiens de lancer une mauvaise plaisanterie. Ce seront les seules paroles que je l'entendrai prononcer, avant de lui régler ses honoraires. Inutile de lui proposer une vodka. Pour le reste je n'ai pas de soucis à me faire, celle dont j'ai suivi les accélérations foudroyantes sur les trottoirs de Montparnasse ne bougera plus, en effet. Mais, dans une dernière pirouette, sans doute réussira-t-elle encore à nous semer quand la poussière blanche de ses cendres enfourchera le vent et fera le mur du cimetière, telle la fumée légère de ses Camel.

Derrière les vitres du salon, le bleu marine de la nuit a laissé place à un gris sale. Je me suis assoupi sur le canapé, d'un sommeil léger qui me fait tressaillir au moindre bruit. Soudain je crois voir Gaby faire irruption en titubant dans le salon pour me proposer un gin-rummy :

« Et enlève-moi ce foulard, Loup, je suis parfaitement ridicule ! »

Dans ma torpeur trop de pensées se bousculent, je dois m'y arracher. Je me lève pour aller me préparer un café dans la cuisine immaculée de mon amie et, pendant qu'il passe, je retourne auprès d'elle. A la voir ainsi, à ce point immobile, je me dis que décidément la mort lui va mal. Dans un mouvement de tendresse – et peut-être pour me rattraper – j'essaie de saisir une de ses mains. Et je ressens un choc : Gaby me la refuse, elle résiste, obstinément, déployant une force incroyable. Est-ce sa façon de me reprocher ce manquement à ma parole ? Je dois me raisonner pour accepter l'idée que c'est simplement la raideur qui s'est installée. Si loin de l'abandon qui a suivi sa mort, le corps de ma vieille amie a retrouvé sa volonté farouche.

Comme chaque année, à la même date, le champagne est frappé et le bouchon fait entendre sa joyeuse détonation. Je joue le jeu, je me réjouis. C'est le début du mois de mai, les beaux jours reviennent et la rue résonne d'échos familiers s'échappant des fenêtres ouvertes, rires, éclats de voix, tintements de vaisselle. Je laisse errer mon regard au-delà de la rampe tremblotante qui illumine mon gâteau d'anniversaire : il me semble voir s'avancer une troupe d'ombres pâles, levant une coupe à ma santé.

Une seconde plus tard il ne reste que fumée et mèches incandescentes. J'ai dissipé mes fantômes en soufflant la flamme des bougies, encore une année de passée. On rallume les lumières, on s'embrasse. A ce moment le téléphone sonne, urgent, impératif. Je cours décrocher.

« Loup ? C'est moi. »

Mon cœur fait une embardée lorsque je l'entends. Réduite à un souffle, éteinte, je reconnais aussitôt la voix de Mando.

« Loup, il faut qu'on se voie tout de suite, c'est très important, il le faut ! »

Le débit est haché, haletant, laissant pressentir une catastrophe. Mando ne m'a pas donné signe de vie depuis des mois, peut-être davantage. Je croyais la page définitivement tournée et voilà qu'il réapparaît, ce soir précisément.

« Mando, je suis en train de fêter mon anniversaire ! »

« Je sais, Loup. Mais il faut absolument que je te parle. »

« Ça me touche beaucoup que tu m'appelles, enfin, surtout ce soir ! »

Ma voix sonne faux. Tout est trop rapide, alors j'ai bricolé une phrase de circonstance qui ne correspond à rien : « Ça me touche beaucoup. » Inquiet, choqué, intrigué peut-être, mais touché, non, sûrement pas.

« C'est un peu difficile tout de suite, on en est au champagne. Rejoins-nous à la maison, tu seras le bienvenu, tu le sais ! »

Il a un petit rire bizarre, puis sa voix durcit :

« Impossible. Non vraiment, Loup, il faut que tu viennes, j'ai quelque chose à te dire, il faut que je te le dise. »

Son « impossible » est sans appel. J'hésite puis, comme souvent, une petite lâcheté me fait choisir le compromis :

« Dans une heure on peut se retrouver chez toi, si vraiment tu préfères. »

« Non, j'aimerais mieux un lieu neutre. »

Comme si nous avions un pacte à signer, un traité, une négociation sans témoins. Il me donne l'adresse d'un bar à bières, près de Saint-Lazare.

Je m'échappe, laissant mes parents avec leurs questions, le champagne, les restes du gâteau, le rituel flacon d'eau de toilette, mon cadeau obligé depuis des années. Je descends la rue d'Amsterdam en courant, je croise le regard charbonneux des trois prostituées postées à l'angle de la rue de Budapest et je pousse la porte de ce bar devant lequel je suis passé si souvent sans jamais en franchir le seuil. Au fond de la salle d'énormes tonneaux, scellés contre des boiseries et partout ailleurs l'obscurité, trouée çà et là par la lueur tamisée d'un abat-jour. Dans une encoignure, assis à une table, Mando qui me regarde, le visage à demi caché par la chope dans laquelle il boit. Il a beaucoup maigri, il est pâle comme la mort. Il me demande simplement :

« Tu bois quelque chose ? »

« La même chose que toi. »

Pourquoi cette réponse ? Je ne bois pas de bière. Pour renouer avec lui par un mot de passe : « La même chose que toi » ? Mais c'en est bien fini de la gémellité, je le sens dans la fixité d'un regard où je ne me reconnais plus, un regard aussi vide et privé de substance que sa voix.

« Qu'est-ce qui se passe, Mando ? »

Au moment où je pose la question je n'ai déjà plus envie de savoir. Mais il est trop tard, j'ai répondu à son appel, je dois entendre sa réponse.

« Loup, je vais mourir, demain. »

Le ton est sans réplique, un constat. Il me faut un temps avant de pouvoir lui répondre, la bière est bienvenue, j'en avale une gorgée. La sensation glacée bouleverse mon estomac. Exactement le genre de phrase que je ne voulais pas entendre et qu'il m'assène, sans me laisser reprendre mon souffle. Tel que je me connais je vais me lancer dans des déclarations rassurantes :

« Mais non, Mando, ça se soigne très bien, tu ne vas pas mourir ! »

Et lui, me répondant comme Nine :

« Qu'est-ce que tu paries ? »

Mon ventre se crispe. De quelle maladie incurable souffre-t-il, quel est le nom de ce mal qui lui est tombé dessus, précisément durant les longs mois de notre séparation ? Même si je n'en veux rien savoir je dois lui poser la question qui me brûle les lèvres.

« Qu'as-tu de si grave, Mando ? »

Ses yeux fixent un point, loin derrière moi, du côté des tonneaux qui décorent le fond de la salle, soudain transformés en une longue rangée de cercueils. Une chapelle ardente. *Toutes les bières du monde*, annonce le néon clignotant au-dessus du bar.

« Je préparais la révolution avec mes camarades du Comité, mais j'ai été chargé d'une autre mission. Les transformations ont commencé il y a un mois environ, ça a atteint d'abord mon front, tu vois, ma peau est devenue transparente, et puis ça a gagné ma main gauche, regarde, elle s'est allongée, les ongles vont bientôt tomber, ce n'est déjà plus une main humaine. »

J'observe mon ami, à la recherche des symptômes qu'il décrit. Son regard est éteint, ses joues creuses, mais en dehors de sa pâleur et de son amaigrissement je ne distingue rien de la transformation dont il parle.

Soudain, une douche glacée s'abat sur mes épaules : je comprends, et c'est à l'enseignement du Professeur Psychopompe que je le dois.

Loin de tout, hors d'atteinte, Mando continue, véhément :

« Mon corps entier se prépare, ce sera une sorte de mort, pour le reste du monde tout du moins, mais moi je sais : cette transparence et cette légèreté vont me permettre de faire un saut dans le vide sidéral. Un autre est en train de prendre possession de moi, un visiteur. Chaque nuit il imprime ses traits, il fait de moi son double. Ah! Si tu le voyais, c'est magnifique! C'est bien autre chose que nos expériences spirites, nous étions loin de la vérité. Ses ailes translucides, tous ses organes qu'on voit à l'œuvre comme sous une pellicule de plastique! Il n'ouvre pas la bouche et pourtant je comprends tout ce qu'il me dit, comme si mon cerveau était perfusé. Le rendez-vous est pour demain, demain je serai lui, tu te rends compte, Loup ? C'est à moi que ça arrive ! »

Il s'arrête un instant, agite la main devant son visage comme s'il voulait chasser un mauvais rêve. J'ose encore espérer qu'il va reprendre ses esprits.

« Je voulais que tu sois le premier à l'apprendre. Il fallait aussi que je te dise adieu. La révolution se fera, mais à l'intérieur de moi. Demain je ne serai plus là, le phénomène s'est accéléré, mon visiteur est pressé, il ne peut plus attendre. »

Je suis effondré. Voilà comment je le retrouve après ces mois de silence. Lui, mon ami de toujours, embarqué dans ce délire de pacotille, sa pensée en lambeaux empruntant à nos chers romans de science-fiction leurs thèmes rebattus d'extraterrestres vampirisant les pauvres humains. Je préférais de loin les médiums et les tables tournantes. Silencieux, incapable de lui répondre, je ne peux même pas le saisir par les épaules et le secouer :

« Mando ! Un autre que toi se lancerait dans une histoire pareille, tu te foutrais de lui, tu le trouverais grotesque ! »

Mais il ne peut plus m'entendre, un raz de marée l'a emporté, avec tout ce qui faisait notre complicité. Du sans-retour, aussi fort que la mort. Alors un nouveau choc, encore plus violent, me fait vaciller. Je viens de comprendre que Mando, l'intègre, l'exigeant Mando, a une fois de plus tenu parole. Ce soir, après toutes ces années et en dépit du silence des derniers mois, il est resté fidèle au pacte de notre adolescence, au serment échangé solennellement : le premier de nous deux qui passe de l'autre côté fait un signe à celui qui reste.

Plusieurs mois déjà que je suis devenu un fidèle des séminaires du Professeur. Je dévore son œuvre, particulièrement ses écrits sur la psychose, sur lesquels je continue de travailler avec mes nouveaux amis. Au cours d'une discussion avec un interne de Sainte-Anne, à la suite de l'une de ces présentations de malades auxquelles j'assiste maintenant chaque semaine, le Professeur a lâché une phrase que je n'ai pas oubliée : « On ne *devient* pas psychotique, on *l'est*! » a-t-il martelé. Il a même ajouté, ironique : « N'est pas fou qui veut! » L'apparition des symptômes était souvent le fruit de ce qu'il a appelé la mauvaise rencontre : pour l'un, qui jusque-là n'avait manifesté aucun trouble, ce serait, pourquoi pas, le fait de devenir père ou l'accession à un poste de responsabilité, pour l'autre ce serait une rupture, amoureuse ou amicale. Il a alors utilisé une image frappante, une de celles dont il avait le secret : « Tous les tabourets n'ont pas quatre pieds, il y en a qui tiennent debout avec trois. Mais alors il n'est plus question qu'il en manque un, sinon ça va très mal ! »

Une rupture, un tabouret à trois pieds, j'ai du mal à contrôler mon cœur qui s'emballe en repensant à cette formule. Qu'ai-je été pour Mando tout le temps qu'a duré notre amitié ? Une pensée me vient, que je repousse de toutes mes forces, un soupçon qui devient certitude : c'est notre rupture qui a fait passer Mando de l'autre côté. Quel rôle ai-je joué durant toutes ces années, à mon insu ? Ai-je été autre chose qu'un bouclier contre sa folie ? Mon amitié aurait-elle eu pour seule fonction de tenir closes des portes qui masquaient un abîme ? Dès que je n'ai plus été là pour m'arc-bouter contre leurs montants elles se sont ouvertes à toute volée, les ombres impatientes ont pris leur essor et Mando a chaviré dans la tempête qu'elles ont déclenchée. J'ai traversé tout cela sans me douter de rien, le Parc, le tas de sable, nos jeux, nos découvertes, sans être alerté par le moindre signe. L'exigence de Mando, son souci de conserver pure une amitié lavée de toute scorie, m'apparaissent aujourd'hui révélateurs, déchiffrables seulement dans l'après-coup, comme un impératif, terrible : il lui fallait me maintenir à cette place idéale, faute de quoi la catastrophe se déchaînerait, celle que je contemple ce soir, impuissant.

Mes pensées s'accélèrent. Je cherche désespérément les mots qui toucheraient, donneraient du lest à ce corps qui n'a plus de consistance, qui s'envole comme un des ballons promenés en grappes par les marchands du Parc de notre enfance. Je cherche le secours du Professeur Psychopompe, dans son texte fameux sur lequel je travaille en ce moment : *D'une question préliminaire à tout traitement possible de la psychose*, j'espère y trouver une réponse à mes questions mais Mando est déjà tellement loin, sur la planète de son visiteur, un demi-sourire aux lèvres. Le sinistre Professeur Miloch de notre adolescence est de nouveau passé par là, il lui a planté des électrodes dans le crâne pour lui injecter ses ondes malfaisantes. Je calcule, je pèse ce que je vais lui dire avec la certitude qu'un mot mal choisi pourrait le précipiter vers son ultime rendez-vous. Un seul mot malheureux, une tape dans le dos et il dégringolerait du haut de ce plongeoir d'où – tout de même – il m'a fait un signe.

Vous riez, Professeur Miloch ? Quel effet croyez-vous que cela fasse de se découvrir étai, prothèse, pied de tabouret, quand on se pensait ami unique ? Devenir la mauvaise rencontre, alors qu'on se croyait l'âme sœur ? On verra plus tard, pour le moment il faut agir, et vite.

Bien sûr je peux fermer les yeux, étendre en bon spirite mes mains sur le plateau de la table et cérémonieusement prendre acte de son message. Je lui serre longuement la main, je ne le quitte pas des yeux, une dernière gorgée de bière et je prends congé de lui. Je remonte chez moi et « Adieu Berthe ! », comme aurait dit Gaby. Il ne me reste plus qu'à attendre l'inévitable, la voix neutre d'un fonctionnaire qui m'annoncera au téléphone la mauvaise nouvelle. Ou bien je fonce, je rempile, j'investis toutes mes forces dans cette expédition, je saisis Mando à bras-le-corps et j'obtiens de lui un délai dans l'accomplissement de sa mission. Mais alors je dois m'engager, ne plus le lâcher et nous voilà repartis, les deux inséparables, pour de nouvelles aventures que je ne tiens pas à vivre. Pourtant ma décision est prise : si je ne me jette pas à l'eau, je vais passer le reste de ma vie à le regretter.

Tout en haut du rocher qui domine cette plage espagnole où nous passons notre été, je ne parviens pas à décider si je tente ou non ce plongeon qui me paraît vertigineux. Mando est à côté de moi, lui aussi contemple la masse grondante dont les impacts sourds résonnent sous nos pieds. Soudain je tombe comme une pierre dans l'eau qui miroite, plus de quinze mètres en contrebas. Lorsque j'émerge, à moitié assommé, mon premier regard est pour Mando dont je distingue, au travers de mes cheveux collés, la silhouette floue, tout là-haut, légèrement inclinée : il n'a pas osé.

Ce qui m'a précipité du haut de la falaise n'est pas le goût de l'exploit – je ne l'ai jamais eu – mais la perspective de la soirée nauséeuse qui allait suivre si je ne plongeais pas.

Dégoût de moi-même qui allait gâcher mes vacances et que j'allais traîner comme un sac de cendres, ne pensant à rien d'autre, ressassant cette reculade. « Tu ne l'as pas fait, tu n'as pas plongé ! » Ce pari perdu à mes yeux et à ceux de Mando était bien moins envisageable que la détente suicidaire qui m'a propulsé dans le vide. Un témoin me dira :

« Mais vous êtes fou ! Ce n'est pas ainsi qu'il faut plonger d'une telle hauteur ! Vous n'avez pris aucun élan, vous êtes tombé à la verticale, au ras de la paroi rocheuse, vous auriez pu vous tuer ! »

Sans doute. Mais quelle importance ? J'ai plongé de mon rocher et Mando ne m'a pas suivi. J'ai racheté devant lui par ce geste quelques mémorables reculades : « Mais vas-y bon sang, qu'est-ce que tu attends ? » Pour moi cela n'a pas de prix.

Je me décide, dans une détente comparable à celle de nos vacances espagnoles, des années auparavant : Mando ne doit pas mourir, rien d'autre ne compte. Il me reste à en trouver les moyens. Si je peux le retenir, ce sera sur le mode d'un pacte, d'un serment (il vient de me donner la preuve qu'il y est toujours sensible), au nom de notre amitié passée.

« Mando, je vais te demander une chose difficile, j'en suis conscient, mais tu dois me l'accorder, à moi ton ami. Je veux en savoir davantage et pour cela nous avons besoin de temps. Accorde-moi ta soirée de demain, nous parlerons aussi longtemps que nécessaire pour que je comprenne ce qui t'est arrivé, dans le détail, depuis le début. Pour le partager avec toi. »

Son expression n'a pas changé, son regard est toujours rivé au mur du fond.

« Impossible, ma transformation est trop avancée, tu le vois bien. »

Je me force à rire :

« Impossible? Quelque chose d'impossible pour nous? Mando, tu plaisantes! Des transformations nous en avons vécu plus d'une, toujours ensemble, et même si celle-ci est de loin la plus importante, tu ne peux pas m'en écarter, je suis le seul à pouvoir comprendre ce qui t'arrive. L'effort que j'exige de toi est énorme, je le sais, mais fais-le pour moi, je t'en prie! »

Prêt à dire n'importe quoi, je suis tellement tendu que ma voix sonne juste, persuasive. Mando ne doit pas mourir, ce soir c'est mon seul objectif.

« Tu serais prêt à entendre tout cela ? Mais il n'y a pas de mots pour le dire, c'est mon corps qui parle, ce sont mes organes, mes cellules, il n'y a plus rien en moi d'intact. »

« On va les trouver ensemble les mots, fais-moi confiance, on en a vu d'autres ! Jure-moi que tu vas m'attendre ! »

Cette fois je crois que j'ai fait mouche avec mes arguments : il a vacillé, son ton a changé, moins péremptoire. Il montre même une sorte d'inquiétude, les yeux baissés, comme s'il cherchait à lire dans la mousse qui tapisse le fond de son bock. Puis il me fixe, son regard a repris un semblant de consistance et il m'accorde enfin ce rendez-vous que je quémande. Après avoir pris un studio en ville il est retourné chez ses parents, dans la chambre au fond du grand couloir, où il a laissé la plupart de ses affaires. C'est là que nous nous reverrons le lendemain.

« C'est un sacrifice énorme que tu me demandes, Loup, j'espère que tu en es conscient. Encore faut-il que mon visiteur accepte que je survive à cette nuit. »

Lorsque je sonne le lendemain à la porte de l'appartement, c'est Enza qui vient m'ouvrir, un mouchoir à la main. Elle me serre dans ses bras.

« Loup, ça fait si longtemps ! Aide-moi, je t'en prie, je ne le reconnais plus, il ne veut rien manger, je crois qu'il ne dort jamais. Depuis qu'il est revenu à la maison il ne sort plus de sa chambre, il parle seul, il y a toujours de la lumière sous sa porte ! Qu'est-ce que je dois faire ? Je lui ai proposé de se faire hospitaliser mais il ne veut pas en entendre parler, il dit qu'on ne lui refera pas le coup. Tu sais comme il est dur parfois, il a eu des mots, Loup, je ne peux pas te dire ! »

« Il dit qu'on ne lui refera pas le coup »? Elle m'accompagne au fond du couloir, frappe un coup discret à la porte et s'éloigne, ajoutant quelque chose avant d'être avalée par l'ombre. Mando ouvre avec précaution, me fait entrer puis se penche à l'extérieur comme pour vérifier que nous sommes bien seuls. Il n'a pas changé depuis la veille mais, dans ce lieu familier où nous avons tant de fois refait le monde, c'est un choc de le découvrir si pâle, égaré, au milieu de ses livres et de ses disques. Les affiches des films de Fellini ont disparu, remplacées par des nus de femmes enceintes, squelettiques, envelop-pées dans leur chevelure d'aquarelle. Mando a toujours été bon dessinateur, mais son trait s'est encore affirmé depuis la galerie des fan-tômes parisiens. L'encre de Chine entaille le papier comme la lame d'un scalpel, le ventre de ses créatures exhibe un nombril proémi-nent, un œil de cyclope. Il s'est assis sur son lit, je prends place face à lui.

« Ils sont très beaux tes dessins ! »

« C'est la fécondité, elle m'est venue comme ça, sans effort. Tout m'est dicté par la créature. Tu sais, il n'y a pas que mon corps qui se soit modifié, ma perception de l'univers, du sens de l'existence aussi. Un voile est tombé de mes yeux, comme si on m'avait opéré d'une cataracte, maintenant tout est clair, tout s'explique, j'ai tout compris. »

Que je n'aime pas cette certitude opaque, infranchissable ! Elle ne laisse aucun espace, on n'y glisserait pas un doigt.

« Tu te souviens de ces nuits que nous avons passées les yeux au ciel, à la recherche d'une réponse, l'infini, Dieu, tout ça, nos malheureuses préoccupations d'adolescents ! Ah ! Nous étions loin de pouvoir comprendre, mais nous n'y pouvions rien. Comment aurions-nous deviné qu'il fallait ce franchissement : cesser de penser avec notre cerveau, car c'est lui le véritable obstacle à la compréhension ! Peu à peu mes fluides corporels ont laissé place à de l'air, un air pur qui circule librement et me rend plus léger. »

J'ignore ce qui transparaît sur mon visage, mais Mando a dû y voir passer l'ombre d'un doute.

« Tu ne me crois pas ? Je vais te le prouver ! »

Il se lève, sort de sa chambre et s'éloigne dans le couloir. Je l'entends pisser dans les toilettes dont il a laissé la porte ouverte. Il revient me chercher, me conduit devant la cuvette où un peu de mousse couvre la surface de l'eau jaunie.

« Tu vois toutes ces bulles ? Voilà ce que j'évacue depuis des semaines, ce n'est pas une preuve, ça ? De l'air, de l'air qui me nourrit, que je pisse et que je chie, il n'y a plus que de l'air en moi ! »

Si je le croyais encore capable d'humour je lui dirais volontiers que tout ça c'est du vent. Mais nous sommes bien loin de ce mode qui fut nôtre des années durant, cette époque où un simple clin d'œil déclenchait un fou rire synchrone. Je cherche désespérément comment raccrocher Mando au monde des vivants mais je n'entrevois qu'un moyen pour le moment : une écoute infatigable, passionnée, de sa trajectoire folle.

Peu à peu Mando commence à se confier, malgré son apparent détachement. Il parle, il se raconte sans discontinuer et le flot de son discours représente l'unique fil par lequel je puisse le retenir. Je le ressens physiquement : je saisis au vol, comme une amarre, la tresse de ses paroles, lancée vers moi au travers de la pièce. Mais que faire de cette corde poisseuse, incrustée de coquillages, de créatures des profondeurs ?

Je l'écoute jusqu'au petit matin, luttant contre le vertige de ses évocations, évitant de me laisser embarquer et tentant de lui maintenir la tête à la surface de l'eau. Nous nous quittons sur la promesse de nous revoir le lendemain.

J'ai gagné deux jours. J'en gagnerai beaucoup d'autres, au prix de soirées épuisantes où, scrupuleusement, je recueillerai le récit qu'il aura de plus en plus de passion à me faire partager (« Se faire le scribe du psychotique », avait dit le Professeur). Et nous voilà repartis, Mando et moi, le couple d'explorateurs du continent perdu. Mais notre gémellité s'est inversée : à l'image du roi d'un jeu de cartes, une barre opaque nous sépare, l'un est devenu l'envers de l'autre. Côté lumière je tends les bras vers ma part d'ombre, tête renversée, qui menace à tout moment de m'échapper. Comment reçoit-il mes paroles, si seulement elles lui parviennent, quand les siennes sont devenues compactes, pétrifiées, pesant de tout leur poids ?

Le délai obtenu de Mando dépasse mes espérances, un mois bientôt que je le vois chaque soir, un mois de face-à-face épuisants pendant lesquels, de temps à autre, je parviens à apaiser son interminable monologue. Je tente maintenant de le convaincre de sortir de chez lui, de me suivre dans les lieux que nous avions coutume de fréquenter, et j'attends quelque chose de cette confrontation. Mais il refuse : pourquoi irait-il vers le monde alors que celui-ci se précipite vers lui, l'envahit, lui impose ses perceptions ? Où l'emmènerais-je ? Au Père-Lachaise ? Je ne pense pas que l'idée soit bonne de traîner ce fantôme dans des allées bordées de tombes.

Il me donne enfin son accord pour une promenade au Parc, toujours au nom de nos souvenirs d'enfance. Je le soutiens comme un convalescent à l'issue d'une longue maladie, la démarche hésitante il protège ses yeux de la lumière aveuglante du jour. Chaque passant croisé provoque en lui un mouvement de recul, comme s'il redoutait un danger potentiel. Il m'affirme que son énergie est une proie pour ces goules affamées. Même le fils de la concierge, Jean, le gros bébé qui bouffait nos pions, ce nourrisson blotti dans un corps de déménageur, lui envoie des ondes et pompe chaque nuit ses fluides vitaux au travers du plancher de sa chambre.

Nous marchons un moment, du grand rocher jusqu'à la pièce d'eau, puis nous nous installons sur un banc, près de la Naumachie. Un soleil printanier tiédit l'air, des volées d'enfants passent en criant devant nous, Mando ne les voit pas. Il hésite un moment puis s'adresse à moi, à peine audible :

« Tu ne vas pas me croire, je sais que c'est inimaginable, mais cette nuit j'ai eu une communication télépathique avec le président des Etats-Unis ! Et il a tout compris de ce qui se préparait ici, tu te rends compte, Loup ? »

« Je veux bien croire que tu en es convaincu, Mando, mais je ne pense pas que ce soit la réalité. »

Affaibli par toutes ces nuits de veille, je n'ai pas réfléchi avant de parler, l'énormité et le ton de sa confidence m'ont agacé, la télépathie, le Président, cette thématique d'adolescent attardé. Je refuse de voir Mando sous les traits caricaturaux du fou se prenant pour l'Empereur. Aussitôt sur la défensive, il se raidit :

« Il y a beaucoup de choses que tu ne peux pas comprendre, Loup. Tu es imprégné de tes lectures rationalistes, tu es entièrement sous l'influence de ton Professeur Psychopompe. Ce qui sort de ton mode de raisonnement t'échappe, alors tu le refuses au nom de la raison ! »

Voilà qu'il m'agresse maintenant. Je fais l'effort de ne pas répondre, j'ai une furieuse envie de le secouer, de démolir ses élucubrations dignes des aliénistes du siècle dernier. Je lui hurlerais volontiers que ces histoires paranormales présentaient quelque intérêt pour nos exaltations d'autrefois, qu'aujourd'hui nous en avons passé l'âge et qu'en plus, il n'est même pas foutu de présenter un délire original. Nous restons silencieux, moi dans ma fureur contenue, lui dans son insupportable certitude. Il allume une cigarette.

« Est-ce que tu leur parles du spiritisme, à tes amis psychanalystes ? »

M'arrachant à mes pensées je me retourne vers mon ami. Son attitude n'a pas changé, l'œil fixé sur le fond du Parc, il laisse sa cigarette se consumer à ses doigts sans en tirer une bouffée :

« Ça arrive parfois, Mando, quand la question se pose. »

« Et qu'est-ce que tu réponds ? »

« Que nous faisons dire aux morts ce que nous avons envie d'entendre. »

« Notre propre message qui nous revient sous une forme inversée, c'est ça ? »

Il a beau ironiser sur celui qu'il a appelé le Professeur Psychopompe, il vient tout de même de lui emprunter une de ses formules.

Autour de nous c'est la vie même, baignée par ce premier soleil. Les canards s'ébrouent sur l'eau du bassin, des hordes de cow-boys et d'indiens patineurs se combattent à grands cris, à nos pieds un pigeon se roule dans la poussière. Et pendant ce temps-là Mando regarde droit devant lui, un demi-sourire aux lèvres, son long corps voûté touchant à peine le banc. Ce contraste m'est insupportable, je le planterais bien là pour courir au kiosque me gaver de confiseries, chausser mes patins à roulettes et m'élancer à la poursuite des autres enfants.

Je tiens bon, pourtant, fidèle à mon engagement quoi qu'il m'en coûte. Les jours se suivent et je ne lâche pas Mando, un Mando brûlé de l'intérieur dont peu à peu l'exigence se colore différemment, plus crûment, avec des éclairs de rage. Il insiste pour que je le rejoigne, il voudrait faire de moi un nouvel adhérent à sa vision du monde. Il s'emporte dès que j'introduis le doute, il ne supporte aucune de mes tentatives pour le ramener à la raison. J'étouffe dans le huis clos de nos soirées mais nous sortons rarement, l'effort que le monde extérieur exige de lui est trop grand et nous passons la plupart de notre temps dans sa chambre, rideaux tirés, ballottés par le torrent de paroles qui nous maintient éveillés jusqu'au petit jour.

La salle enfumée accueille une centaine de spectateurs, réunis autour de boissons fortes. Quelques tables restant libres à proximité de la petite scène, je m'installe à l'une d'elles et passe ma commande. Pour échapper à l'épuisante tension de chacun de ces rendez-vous, je me suis décidé à sortir seul un soir, laissant Mando à ses ombres. J'ai choisi dans le programme des spectacles parisiens un café-théâtre, Le Skorpios, qui affiche une pièce à deux personnages ayant pour thème la psychanalyse, décrite comme un affrontement sadomasochiste à l'issue tragique.

Au moment où l'obscurité se fait, un couple de retardataires fait son entrée et vient s'installer à la table voisine de la mienne.

Dans l'ombre je distingue un homme, vêtu d'un long manteau, en grande conversation avec le serveur dont il tente de combler l'ignorance, lui expliquant que Skorpios est le nom d'une île grecque, appartenant au milliardaire Aristote Onassis. Il est accompagné d'une jeune femme séduisante et je tressaille au moment où il se débarrasse de son pardessus et le dépose sur le dossier de son siège : cet invraisemblable costume aux poils de laine hérissés, ce col Mao, c'est bien lui, c'est le Professeur Psychopompe ! Mon cœur fait un bond à l'idée de passer ma soirée à côté de celui que j'ai toujours admiré de loin, sur l'estrade de l'hôpital Sainte-Anne ou devant le tableau noir d'un amphithéâtre et je ne peux en détacher mon regard. Je le vois sourire à sa compagne, sans doute l'une de ses étudiantes et, au moment où il allume ce cigare coudé qui a fait sa renommée, l'éclair de son briquet fait scintiller la monture d'acier de ses lunettes.

Le spectacle commence mais j'ai le plus grand mal à en suivre l'intrigue, n'ayant d'yeux et d'oreilles que pour les occupants de la table voisine. Le Professeur, tout à son entreprise de séduction, se penche régulièrement à l'oreille de sa compagne, lui murmure des mots doux qu'elle accueille en riant. Emporté par son élan, il lui lance tout à coup un « J't'adore ! » suffisamment sonore pour que des protestations fusent dans le public. La jeune beauté, captivée par la pièce, se voit de plus en plus fréquemment obligée de repousser les assauts du Professeur qui ne prête aucune attention à ce qui se passe sur la scène.

J'ai beaucoup de difficulté à détacher l'image du maître dont l'enseignement me passionne, de celle du vieil homme qui penche sa tête grisonnante vers le cou de sa conquête. La pièce se termine sur le meurtre du psychanalyste par son patient, au terme d'une relation on ne peut plus équivoque. Les lumières se rallument, la salle se vide et je fais en sorte de me placer derrière mes deux voisins pour saisir encore quelques bribes de leurs échanges, jusqu'à ce que la cohue me fasse perdre de vue le Professeur, son dos voûté et le geste pathétique de son bras agrippé à la taille de la jeune étudiante.

Quelques semaines plus tard, Mando est toujours vivant, mon objectif est atteint mais j'y abandonne une partie de mes forces, esquivant ses attaques lors de nos passes d'armes, contrôlant à grand-peine mes mouvements d'humeur.

Lors de mes visites je suis à chaque fois accueilli par Enza qui, face à son fils, devient avec le temps plus froide, plus distante. Un soir même elle lâche à mon arrivée :

« La vie est intenable ici avec Mando qui parle sans cesse de se suicider. Qu'il le fasse donc, au lieu de menacer ! »

Ces paroles d'Enza, la pieuse, me troublent. Je voudrais pouvoir expliquer cette phrase terrible par son exaspération, tant elle rompt avec l'image de la femme que je croyais connaître. Même poussée au désespoir elle ne peut exprimer un tel désir. Ma vision de la mère ronde et chaleureuse vacille, j'entends la véhémence de Mando lorsque je la protégeais de ses attaques :

« Loup, tu ne sais pas tout, ma mère n'est pas celle que tu crois ! »

Enza ajoute :

« Cette folie devient insupportable, d'autant que ce n'est pas la première fois. »

« On ne lui refera pas le coup », « Ce n'est pas la première fois » ? Après une profonde inspiration, je me décide à lui poser enfin la question, celle que je retiens depuis si longtemps. Il y a plus de vingt ans que nous avons tous fait silence sur l'accident de Mando et je dois savoir maintenant : la colonie de vacances, le bras cassé, le chirurgien italien. Nous nous faisons face dans l'entrée de l'appartement et Enza tressaille.

« Il ne t'a jamais raconté ? Je croyais que vous vous disiez tout… »

Je ne réponds pas, inquiet de ce qui va venir. Elle m'entraîne dans le salon, avec un regard vers le couloir, comme si elle craignait que Mando sorte de sa chambre et nous surprenne.

« Sur le quai de la gare, quand il a appris que tu ne viendrais pas, il a été très brave, tu sais. Tu le connais, il a serré les dents, il a dit que ça n'avait pas d'importance, qu'il s'amuserait bien tout de même. Il était très pâle en montant dans le train. Quelques jours plus tard on nous appelait de là-bas, on nous demandait de revenir le chercher, il allait mal. »

« Son poignet cassé ? »

« Oh ! S'il n'y avait eu que ça. Un bras ça se répare, une tête non. En quelques jours il était devenu incohérent, il leur a fait peur. Ils ont craint qu'il ne fasse une bêtise et ils l'ont enfermé dans une chambre en attendant que nous arrivions. Il a sauté par la fenêtre pour s'échapper, c'est là qu'il s'est fait cette fracture. Nous ne savions pas quoi faire, Mando n'était plus lui-même. Roberto avait un ami d'enfance qui dirigeait une clinique psychiatrique près de notre villa de Viareggio, il a eu envie que ce soit lui qui s'occupe de son fils. Là-bas ils l'ont remis sur pied à coup de médicaments. Quand il a repris ses esprits, Mando nous a demandé de n'en parler à personne. Mais il nous en voulait tellement, il répétait que tout était notre faute, à Roberto et à moi, que nous avions voulu nous débarrasser de lui dans cette colonie de vacances, pour nous enfuir en Italie ! »

« Que vous avait dit le psychiatre ? »

« Si je me souviens bien, il avait parlé d'un épisode confusionnel, très rare à cet âge. Il a dit que ça pouvait ne se produire qu'une fois dans une vie... Je suis vraiment surprise que Mando ne t'en ait pas parlé, surtout à toi. »

Nous sommes interrompus par un bruit de pas dans le couloir. Mando nous rejoint dans le salon, il jette un regard froid sur sa mère et me dit simplement :

« Qu'est-ce que tu as ? Tu n'as pas l'air bien. »

Comment répondre à sa question ? Non, je ne vais pas bien, Mando, je prends la mesure du mal que je t'ai fait. Et tu es allé jusqu'à en faire porter la responsabilité à tes parents, pour m'épargner ! Combien de fois t'ai-je abandonné ? Je me sens chanceler : ainsi, alors que nous étions encore enfants, une trahison de ma part t'avait déjà précipité dans la folie. Tenais-je donc une telle place dans ta vie ? Les paroles du Professeur Psychopompe résonnent cruellement, les effets catastrophiques d'une rupture sur un tabouret à trois pieds : « On ne *devient* pas psychotique. »

La nuit suivante, je fais un rêve dont Anna Silejzky est la maîtresse de cérémonie. Pendue au bras du Professeur Psychopompe, elle accueille ceux qui sont venus me dire adieu. Mes parents avancent à petits pas et se penchent sur moi, maîtres dans l'art de cacher leurs émotions. Alors qu'ils s'écartent je distingue une silhouette qui se précipite et inonde ma joue d'une pluie de larmes : Nine, qui serre un paquet contre sa poitrine (des bonbons au miel, pauvre chérie, décidément elle tombera toujours à côté), et le dépose dans mon cercueil. J'ai du mal à reconnaître les visages dans le petit groupe qui se tient en retrait, j'y distingue tout de même celui d'Enza, en prière, qui égrène un chapelet. Il faudrait que Nine se décide à laisser la place.

Comme si elle l'avait compris Anna prend ma seconde maman par l'épaule, l'éloigne doucement et fait un signe à Gaby. Mince et élégante dans son tailleur-pantalon noir, ma vieille amie sort de son sac Hermès un jeu de cartes qu'elle glisse entre la paroi de chêne et l'oreiller de satin.

Et lui ? Me cherche-t-il au Parc, m'attend-il au Père-Lachaise, devant les dalles du columbarium ? Une rumeur enfle peu à peu : la musique de Nino Rota, celle que nous écoutions autrefois dans sa chambre. C'est d'abord un fifre qui introduit le thème de la scène finale de *Huit et demi,* puis l'orchestre qui se déchaîne, cuivres et cymbales, en une irrésistible marche. Je me joins à tous ceux qui entourent le cercueil et, comme dans le film préféré de Mando, nous nous prenons la main pour une dernière farandole.

Des jours encore ont passé, traversés d'orages, mais ce soir, au moment où il m'accueille, mon ami est très calme. Il repose sa plume dans l'encrier et contemple sa nouvelle déesse de la fécondité, dont le corps ondulant ressemble à une lettrine :

« En t'attendant je pensais à cette incroyable lettre : as-tu déjà songé au rôle du *s* dans notre langue ? Un tout petit serpent manque à la fin d'un mot et l'intention se transforme en acte ! »

Je soupire, le temps pour moi d'aborder au rivage de cette soirée. Quel nouveau voyage Mando nous a-t-il préparé, dans quelle forêt vierge les explorateurs d'autrefois vont-ils s'aventurer ?

« “ Je ferais ” c'est le rêve, le fantasme, “ je ferai ” c'est la détermination, c'est l'acte lui-même ! Tu saisis la nuance que l'on peut faire entre “ je tuerais ” et “ je tuerai ” ? Voilà ce que j'ai voulu symboliser par le corps de cette femme, c'est elle qui détient toutes les possibilités. »

Je n'aime pas son discours de bienvenue, ce soir. La façon dont il présente les choses est assez séduisante, mais ses jeux avec la langue naviguent à mille lieues des calembours de notre adolescence : le Professeur Psychopompe ne le contredirait certainement pas. Étonnante cette façon qu'il a de se moquer d'un enseignement avec lequel il est, quoi qu'il en dise, si profondément en phase. Il plonge de nouveau dans son dessin puis il en émerge et me fixe intensément :

« Loup, j'ai beaucoup réfléchi au rôle que tu as joué ces derniers mois, je sais à quel point tu as été présent, sans tes visites je ne serais plus là depuis longtemps. Mais je ne sais pas si je dois t'en remercier ou t'en vouloir. »

C'est la première fois qu'il aborde aussi directement le sujet. Faut-il considérer cela comme un bon signe ? Il poursuit :

« J'ai décidé de te remettre ceci. »

Il me tend une pile de cahiers d'écolier, serrée par une bande élastique.

« Mon journal, Loup, tout y est, tu verras que tu aurais pu l'écrire toi-même, c'est nous, c'est notre vie. »

J'hésite à accepter :

« Garde-le, Mando, tu en auras encore besoin ! »

« Il y a déjà un moment que je ne lui confie plus rien, il faut bien arrêter un jour. De toute façon qu'il soit entre tes mains ou les miennes ne change rien, c'est absolument indifférent ! »

Je vois mal comment refuser ce présent trop lourd. Je suis encore sous le coup de la révélation d'Enza, quelques jours auparavant. Je prendrai le plus grand soin de son journal, je lui assure que je vais être heureux de revivre ces moments partagés. De nouveau son sourire étrange :

« Ne crois pas que j'aie oublié un seul instant celui dont je t'ai parlé, mais depuis ton retour il vient de plus en plus rarement me rendre visite. Tu dois être heureux, tu as gagné, il me laisse en ton pouvoir. Nous avons retrouvé le sens profond de notre amitié, c'est beaucoup plus fort qu'avant, plus fort que la mort. »

« Notre amitié est née presque en même temps que nous, Mando, c'est de là qu'elle tire sa force, du côté de la vie. »

« Son intensité a changé, nous sommes au terme de quelque chose, je le sens. Maintenant il faudrait un événement pour conclure, pour que nous nous libérions de tout cela. »

Décidément je n'aime pas ces paroles, surtout après sa distinction de tout à l'heure entre l'intention et l'acte. Le style de formule solennelle qui me fait froid dans le dos. J'emprunte le ton le plus léger :

« Quel genre d'événement, Mando ? »

« Je ne sais pas encore, j'y pense beaucoup depuis quelques jours (nouveau sourire), je n'ai pas l'âme d'un meurtrier mais je me demande si ta mort ne serait pas indispensable à l'achèvement de ma métamorphose. Ou peut-être devrions-nous aller jusqu'au bout de notre amour : dans un cas comme dans l'autre j'y vois l'unique façon de te faire partager ce que je vis ! »

Cette fois je ne lui demande pas de précisions, dans la gamme des expressions je choisis le rire forcé :

« Il y aurait peut-être une solution intermédiaire, moins radicale ! »

« Je te retrouve bien là, Loup, le juste milieu, le compromis ! Décidément tu en es resté là où je t'ai laissé. »

Là où il m'a laissé. Le ton s'est durci, de nouveau je l'ai contrarié. Il a pâli, je le sens près de la fureur, comme chaque fois que j'oppose mon doute à sa certitude. Il reprend sa plume et ajoute à sa créature des yeux sans pupille.

« Attends une seconde, je dois vérifier quelque chose. »

Il se lève, sort de la chambre avec une raideur d'automate. Assis sur le fauteuil, j'entends ses pas qui s'éloignent vers la cuisine. Enza à bout de forces est partie rejoindre son mari en Italie dans l'une de ses tournées. L'appartement est désert, tout à coup je me sens très seul avec Mando, dans cette pièce isolée au bout du long couloir. Pour la première fois depuis des mois je ressens une véritable peur, que mon ami ne m'avait encore jamais inspirée. Ce sentiment qui s'empare de moi, c'est lui qui pourrait me pousser à une nouvelle lâcheté, une ultime trahison dont Mando serait cette fois la cause directe : prendre mes jambes à mon cou, ouvrir la porte et fuir à tout jamais.

Les secondes s'étirent, interminables, j'entends claquer des tiroirs dans la cuisine. Je me lève et fais les cent pas dans la chambre de mon ami pour tromper mon attente, je me surprends même à retrouver le vieux compte (trois fois trois fois trois), rituel qui ne m'était plus utile depuis des années. Je regarde le trait acéré du dessin mordant le papier, la femme sans regard au corps qui serpente, quand une image terrifiante se plaque devant mes yeux : Mando est en train de choisir un couteau effilé dans les tiroirs d'Enza – celui qui lui sert à trancher le jambon de Parme –, il va revenir, l'œil vide, pour mettre à exécution la plus meurtrière des deux branches de son alternative.

C'est l'évidence même, comment n'y ai-je pas pensé plus tôt : il va surgir armé pour laisser la place libre à l'autre, la créature dont j'ai momentanément triomphé. Là-bas dans la cuisine le choc métallique des ustensiles s'amplifie. Je tente de me raisonner, j'ai beau respirer profondément la pression monte, incontrôlable. Je saisis la pile de cahiers, je la serre contre ma poitrine et soudain, cédant à la panique, je sors de la chambre pour me précipiter dans l'ombre, là où si souvent Mando et moi avons joué à nous faire peur. Le grand corridor a repris les proportions de notre enfance, luisant, sans fin, caverne menaçante, boyau où se glissaient autrefois deux petits aventuriers à la recherche de monstres préhistoriques. Le martèlement de mes pas sur le plancher s'accorde au rythme oppressant de mon cœur. Je tâtonne pour trouver un interrupteur inexistant quand j'entends des pas qui font écho aux miens. Je bondis pour atteindre le vestibule, je distingue dans le salon des reflets sur la masse sombre du piano à queue mais, au moment où je débouche face à la porte d'entrée, Mando est là, devant moi, les bras le long du corps, ombre sur fond de nuit. Il m'attend, il a coupé par la salle à manger. J'aurais dû m'en douter, c'était la ruse suprême du traître dans nos jeux d'autrefois. Je ne peux m'empêcher de pousser un cri. Ma pensée fonctionne à toute allure, la seule parade est la fuite vers le petit salon, mais il la connaît trop bien, pour l'avoir expérimentée tant de fois lors de nos joutes héroïques.

« Ah ! Ah ! Professeur Mortimer, cette fois vous ne m'échapperez pas, je connais chaque recoin de ce dédale, vous êtes fait comme un rat ! »

Pas le temps d'esquisser un mouvement de recul, le Professeur Miloch est déjà sur moi. Nous roulons sur le sol avant que je puisse distinguer ce qu'il tient à la main.

Je rassemble mes forces et saisis son poignet pendant qu'il pèse de tout son poids sur mon corps, dans un silence absolu, le souffle régulier, déterminé. La partie de bras de fer dure quelques secondes, une éternité pendant laquelle nous restons face à face, les membres tétanisés, mélangeant nos haleines. L'angoisse me prive de mes forces, le tremblement de mes muscles s'accentue, je n'aurai pas le dessus. Des éclairs colorés strient la nuit, je redoute la fulgurance d'une lame glacée se frayant un chemin entre mes côtes, poussant sa pointe jusqu'à venir éclater mon cœur. Je lutte encore, désespérément, puis un vide brutal se fait en moi, à l'idée d'une jouissance inconnue, terrifiante : lâcher prise, lui offrir bras en croix ma poitrine en sacrifice. Mais ce qui se passe n'est pas ce que j'attends : Mando saisit ma tête entre ses mains, sa bouche cherche la mienne pour un baiser furieux. Il murmure des mots incohérents pendant que son corps collé au mien vibre et s'alourdit encore, jusqu'à ce qu'il n'y ait plus le moindre espace entre nous. La sensation d'étouffement est telle que dans un sursaut je retrouve une partie de mes forces. Violemment je me cabre et d'une ruade je l'envoie bouler de l'autre côté de l'entrée, j'entends sa tête sonner contre le mur. J'aspire frénétiquement une goulée d'air et je me précipite en avant mais je trébuche sur un obstacle : le journal de Mando qui s'est échappé de mes mains pendant notre corps à corps. Une force irrésistible me pousse à m'arrêter une seconde pour ramasser la pile de cahiers avant de me jeter contre la porte. Pas le temps de me retourner, j'ai déjà trop traîné, une main s'abat sur moi, une main désespérée qui ne réussit qu'à m'érafler le cou.

Je suis dehors. Haletant, je n'ai pas eu conscience de la course éperdue qui m'a fait dégringoler les marches et m'a mené jusqu'à la place de l'Europe. Sous mes pieds une locomotive hurle et fait vibrer le macadam. Plié en deux, je m'accroche un instant aux grilles qui dominent les voies ferrées pour retrouver mon souffle et, dans le fracas d'un train de banlieue, je me retourne. Mando ne m'a pas suivi.

Chaque nuit j'ai revécu la course dans le couloir obscur, le combat aveugle sur le tapis de l'entrée, le baiser au goût de désespoir. Ces cauchemars m'ont laissé trempé de sueur, les oreilles bourdonnantes, essayant d'envisager une issue différente, une ultime façon de raccrocher le dialogue. Mais rien d'autre ne s'est présenté que l'appartement désert, le choc métallique des couteaux dans la cuisine. De nouveau j'ai eu peur et de nouveau j'ai fui, comme à l'époque de la colonie de vacances, comme lorsque j'ai préféré le Professeur et ses disciples à l'exigence de notre amitié. Pour la troisième fois j'ai manqué à notre serment, mais cette nuit-là c'est aux mains de sa créature que j'ai abandonné Mando.

Au fil des jours je tente de reprendre contact avec la vie, avec un monde corrompu par les visions délirantes de mon ami. Mais je ne peux me résoudre à assister de nouveau aux séminaires du Professeur Psychopompe, encore moins à ses présentations de malades : je ne supporterai pas d'y imaginer Mando soumis à la question, trahissant son délire par un signifiant révélateur ou, pire encore, me désignant devant l'assemblée, moi, son ami de toujours, comme la mauvaise rencontre à l'origine de sa folie. La rue chancelle sous mes pas, les regards des passants me transpercent, branché sur leurs pensées j'y lis comme dans un livre ouvert. Tous ceux que je croise m'adressent le même reproche : tu as lâché la corde qui retenait Mando, l'écheveau fou se dévide maintenant à toute vitesse, impossible à arrêter, tu en es le seul responsable. Je reste cependant en attente, j'espère encore qu'il va m'appeler mais, tout au fond de moi, je n'y crois plus. Je n'ai pas fait ce que j'aurais dû, je nage au cœur d'un océan de manquements.

Je me décide enfin à détacher la bande élastique entourant la pile de cahiers d'écolier et à ouvrir le journal, enfermé dans un tiroir de mon bureau. Ce que j'y lis me bouleverse. Réduite à l'état de pur fantasme, mon existence vacille dans ce miroir déformant. Au fil des pages mon portrait en creux se précise : celui d'une ombre, d'une excroissance de sa pensée permettant à Mando d'affronter la réalité. Aujourd'hui, sous le scalpel du chirurgien, c'est moi qui suis le siamois sacrifié.

Seul à la maison, j'ai décroché dès la première sonnerie :

« Loup ? Il est arrivé un grand malheur ! »

C'est Enza au bout du fil, chuchotant comme si elle craignait qu'on la surprenne. Je voudrais déjà pouvoir reposer le récepteur, annuler l'appel, embarquer à bord du Chronoscaphe du Professeur Miloch pour remonter quelques jours en arrière, retourner voir Mando, reprendre notre conversation, bloquer le sélecteur temporel juste avant la poursuite dans le couloir.

« Mando ? »

Je l'entends prendre une profonde inspiration :

« Oui, Mando, c'est fini, il est parti. »

Enza ne peut le dire autrement, je comprends. Une formule convenue m'échappe :

« Oh ! Mon Dieu ! »

Qu'est-ce que Dieu vient faire dans ma bouche à un moment pareil ? Sans doute, comme autrefois, une façon de Lui faire endosser Sa part de responsabilité. Ou simplement de me montrer en phase avec Enza. Un long silence, mais il faut bien que je demande :

« Comment est-ce arrivé ? »

Elle pleure, puis entre deux sanglots :

« Qu'est-ce qu'il faisait au parc Monceau ? Est-ce que tu le sais, Loup ? Qui d'autre que toi pourrait l'expliquer ? Tu étais le seul pour lui. La police l'a retrouvé inconscient au pied du rocher. Ils l'ont ramassé et l'ont conduit à l'hôpital. Il paraît qu'il était incohérent. Pourquoi l'ont-ils laissé dans une chambre, sans surveillance ? Ils savaient qu'il n'avait plus sa tête ! Loup, il s'est jeté par la fenêtre ! Il fallait le surveiller et ils l'ont laissé seul ! »

Le froid d'une pastille de menthe au fond de la gorge. Le temps compact. La chute de Mando au ralenti, sa bouche ouverte, peut-être même le moment d'hésitation sur le rebord. « Mais vas-y bon sang, qu'est-ce que tu attends ? »

Cette fois, sur la plage espagnole, je suis celui qui est resté là-haut, celui qui n'a pas osé et qui aperçoit en contrebas le corps désarticulé de son ami, sur la pelouse de l'hôpital. Effacés Enza, le téléphone, la mauvaise nouvelle : je suis penché à la fenêtre, je tente de rattraper Mando par le dos de son pull mais il glisse entre mes doigts. Silencieux, il dégringole dans la nuit ses dix étages, sans un cri, les yeux grands ouverts, son sourire énigmatique aux lèvres.

« Loup ? Tu es toujours là ? »

J'entends dans la voix d'Enza l'écho de nos jeux d'autrefois : « Loup, y es-tu ? » Et la terrible dernière syllabe ricoche de nouveau sous la voûte « Tue… Tue… Tue ».

« Oui. Enfin, je crois. Qu'est-ce qui va se passer maintenant ? »

« Il y a des formalités. Roberto et moi nous voudrions le conduire à Viareggio, dans le caveau de famille. Oh, Loup ! Pourquoi est-ce que nous n'avons pas pu le retenir ? »

C'est vrai Mando, pourquoi n'ai-je pas su te retenir ? Pire, je t'ai abandonné une fois de trop et tu n'y as pas survécu. Ces nuits de veille, ces interminables conversations jusqu'à l'aube pour rien, pour aboutir à ça. Un combat sans espoir contre la bête en toi, la créature qui t'a fait croire que tu pouvais voler. Et tu m'as échappé, par la fenêtre de cette chambre d'hôpital, mais aussi par les allées poussiéreuses du Parc de notre enfance, si près du tas de sable où tu m'as offert, il y a plus de trente ans, cette boîte de métal qui reste mon premier souvenir.

Non, il n'y a pas eu de filles dans cette histoire. Juste nous deux et ça n'a pas été plus simple pour autant. Rien n'aurait dû nous séparer, croix de bois croix de fer, à la vie à la mort. Il n'y a pas eu entre nous de rivalités imbéciles, c'est autre chose qui nous a déchirés, Mando, quelque chose qui était là depuis le début, mais que personne ne pouvait encore imaginer.

Je pense à ton visage reposant sur un oreiller de satin, ton tout petit visage d'enfant trahi, rétréci par le bandage qui doit masquer les blessures de ton vol. Je ne me sens pas le courage de partager avec Enza et Roberto ce trop long voyage, d'égrener en leur compagnie des souvenirs qui n'appartiennent qu'à nous. A partir de maintenant et pour le temps qui reste à venir je veux être seul avec toi, il me reste une mission à accomplir, un geste à inventer pour renouer avec ma parole. Mais lequel ?

La vie me promène sans but, dans la terrible solitude où mes fantômes m'ont laissé. Ils traînent de lourdes chaînes, celles qui me lient à leur souvenir. Leur poids est celui des serments auxquels je n'ai pas été fidèle, celui de leurs mains que je n'ai pas serrées, des baisers que je leur ai refusés. Le sentiment de ne pas avoir accompli le geste qui s'imposait dormait depuis longtemps en moi, d'un sommeil de chat, toujours aux aguets. Aujourd'hui il est insistant, impossible à écarter, accompagné de son fidèle compagnon : le souvenir des promesses non tenues.

Je crois reconnaître mes morts dans chaque silhouette entrevue, je n'ai pu me résoudre à effacer de mon répertoire leur numéro de téléphone, pour ne pas les faire disparaître une seconde fois. La nuit, ils m'adressent un regard bienveillant, me parlent comme autrefois sans que jamais la voix de la raison ne vienne me crier l'absurde de cette situation. J'envisage d'aller fleurir de violettes la tombe de Nine, dont j'ai déjà oublié l'emplacement, je traîne le soir à Montparnasse, levant les yeux vers les fenêtres de Gaby, où aucune lumière ne me fait signe, et chaque jour je cherche à te retrouver, Mando, dans tous les lieux que nous avons hantés, au bord de la Naumachie ou dans les allées du Père-Lachaise.

Lorsque approche la date anniversaire de ta chute, je décide de retourner à l'une de ces séances spirites auxquelles nous aimions nous rendre, mais le spectacle affligeant de la salle de classe remplie de vieillards ne m'inspire qu'une ironie lugubre. Les messages télépathiques, la veuve taxi aspirant les cendres de son défunt, l'Europe qui bascule. Non, ce n'est pas au milieu de ce fatras que je reprendrai contact avec toi. Sur le chemin du retour, longeant le mur d'enceinte du cimetière, je me prépare à porter le poids de mon manquement pour le restant de mes jours.

Et soudain l'image de l'urne sur le siège avant du taxi me traverse l'esprit. Le médium directeur d'école et son gilet tricoté main, le cercueil en formation, tout le folklore dérisoire s'efface pour laisser place à une vision que tu n'aurais pas repoussée. Plus rien de grotesque dans l'image du livre rempli de cendres, bien au contraire : cette vision me souffle un geste qui ne peut plus attendre.

Je traverse la ville en somnambule et je rentre dans la chambre où tu m'attends. Enfin je sais ce que je dois faire. J'ouvre le tiroir de mon bureau pour en sortir l'objet qui me brûle les doigts, ton journal. Au sommet de la pile, j'ouvre en son milieu le cahier le plus récent et, une fois encore, je reçois comme une gifle ta dernière phrase, celle qui conclut ton journal :

« Loup passe tout son temps ailleurs, trois rendez-vous manqués, lui dire adieu. »

La tentation de l'effacer est grande : étaler du blanc sur chacun de tes mots, ne laisser aucune trace d'un accroc qui n'aura jamais existé. Faire ce que tu as toujours fait, ne garder que ce qui nous rassemble. Mais j'en ai décidé autrement, les pages vierges m'imposent de poursuivre et je m'empare de ton stylo. Je suis près de toi, tu m'entends ? Est-ce que tu m'entends, Mando ? Ce journal c'est nous, c'est notre vie, tu aurais pu l'écrire aussi bien que moi. Ma main dans la tienne j'emprunte ton écriture penchée, impeccable et sur le journal interrompu je relance le récit :

« Ce que je vais voir tes yeux le verront, ce que je vais entendre tu l'entendras aussi clairement que moi. C'est mon journal, Mando, tout y est, tu verras que tu aurais pu l'écrire toi-même, ce journal c'est nous, c'est notre vie ! C'est cela l'amitié vraie : être l'autre, absolument. Il en a toujours été ainsi entre nous deux et il en sera ainsi jusqu'à la mort, au-delà même… »

Mais qui a lâché la main de l'autre ? Je m'arrête brutalement, le stylo suspendu au-dessus du vide. Maintenant que tu n'es plus là, Mando, reste-t-il autre chose de moi qu'une prothèse, un troisième pied de tabouret ? Démesurément allongée par la lumière de ma lampe de bureau, l'ombre de ma main tremble sur le mur. Et une dernière question se précipite : qui de nous deux a fait la mauvaise rencontre ?

Secouant la tête, je relis ces lignes qui m'ont échappé et c'est le vertige. Je dois faire un effort immense pour m'arracher au cahier, à cette prose adolescente, renoncer avant qu'il ne soit trop tard à ce projet qui me paraissait l'évidence même, il y a encore quelques secondes.

« N'est pas fou qui veut ! » serine la voix nasillarde du Professeur Psychopompe à mes oreilles. Il me faut quitter le bureau pour me rendre dans la salle de bains, à la recherche d'une aspirine. Je tente de retrouver mes esprits en m'aspergeant le visage d'eau glacée, mais j'évite de lever mes yeux brouillés sur le reflet que je devine confusément, de l'autre côté du miroir. Celui de Mando, vers qui j'ai failli basculer.

Cet ouvrage a été composé et imprimé par

Mesnil-sur-l'Estrée

pour le compte des Éditions Grasset
en avril 2009

Dépôt légal : avril 2009
N° d'édition : 15754 – N° d'impression : 94703
Imprimé en France